GARIS MASA PERADABAN ISLAM

Koleksi Muzium Kesenian Islam Malaysia

Penerbit: Muzium Kesenian Islam Malaysia

Penulis: Dr Heba Nayel Barakat

Penterjemah: Ros Mahwati Ahmad Zakaria & Nurul Iman Rusli

Pereka: Samsiah Awang

Juru gambar: Mohd Faizal Zahari

Warna, Cetakan dan Penjilidan: MPH Group Printing (M) Sdn Bhd

Hak cipta terpelihara. Tidak dibenarkan menerbitkan semula atau memindahkan mana-mana bahagian di dalam buku ini sama ada secara elektronik atau mekanikal, termasuk fotokopi, rakaman atau lain-lain bentuk simpanan atau sistem penyimpanan maklumat, sebelum mendapat kebenaran bertulis dari pihak penerbit.

Penerbitan ini menyediakan dua jenis tahun bagi setiap artifak untuk para pembaca: Kalendar Masihi (M) dan Kalendar Islam (H).

2013 © Penerbitan MKIM

Perpustakaan Negara Malaysia   Data Pengkatalogan-dalam-Penerbitan

Garis masa peradaban Islam : koleksi Muzium Kesenian Islam Malaysia
    Bibliografi: ms. 59-62
    ISBN 978-983-2591-04-7
    1. Muzium Kesenian Islam Malaysia--Collectibles. 2. Islamic civilisation.
    3. Islam art.
    909.09767

Kandungan

PRAKATA
PENGENALAN   10

DINASTI UMAYYAH
(661-750 M / 41-132 H)   14

DINASTI ABBASIYYAH
(750-1258 M / 132-656 H)   16

DINASTI FATIMIYYAH (909-1171 M / 297-567 H)
DAN AYYUBIYYAH (1169-1250 M / 564-647 H)   18

DINASTI SELJUK
(1038-1307 M / 429-706 H)   20

DINASTI ALMORAVID, ALMOHAD DAN NASRID
(Abad ke 11-15 M / abad ke 5-9 H)   22

DINASTI MAMLUK
(1250-1517 M / 648-922 H)   24

DINASTI IL-KHANID
(1256-1353 M / 654-754 H)   26

EMPAYAR UTHMANIYYAH (1281-1924 M / 680-1342 H)	28
DINASTI TIMURID (1370-1506 M / 771-912 H)	30
DINASTI SAFAVID (1501-1732 M / 907-1145 H)	32
EMPAYAR MUGHAL (1526-1858 M / 932-1275 H)	34
DINASTI QAJAR (1779-1924 M / 1193-1342 H)	36
KESULTANAN MELAYU (Abad ke 15-20 M / abad ke 9-14 H)	38
ISLAM DI CHINA	40

ZAMAN KEGEMILANGAN PERADABAN ISLAM	43
PETA	44
PANDUAN MUZIUM	48
GLOSARI	52
BIBLIOGRAFI	59

PRAKATA

Mengimbau kembali kegemilangan dan kejatuhan dinasti Islam, Muzium Kesenian Islam Malaysia (MKIM) dengan sukacitanya mempersembahkan Garis Masa Peradaban Islam, sebuah penerbitan khusus tentang zaman Islam secara kronologi. Buku panduan bersaiz kecil ini secara ringkasnya membincangkan tentang dinasti-dinasti Islam dengan mengetengahkan tarikh-tarikh dan peristiwa-peristiwa penting. Bagi melengkapkan lagi data sejarah, sebanyak 70 buah artifak dari koleksi MKIM turut dimuatkan dalam penerbitan ini sebagai tarikan visual di samping memperlihatkan koleksi-koleksi ini dalam konteksnya yang ideal. Namun, yang paling penting adalah untuk menghargai daya kreativiti dan keaslian ciptaan manusia.

Garis masa ini memberi pendekatan kronologi, geografi dan kawasan ke atas peradaban Islam. Ia sesuai dijadikan sebagai panduan kepada golongan pelajar serta peminat sejarah dan seni untuk lebih memahami dan menghargai peradaban Islam.

Penerbitan ini juga mengangkat tokoh-tokoh cendekiawan Islam. Nama-nama mereka turut dimuatkan di bahagian 'Zaman Kegemilangan Peradaban Islam' bagi mengiktiraf inovasi dan pencapaian mereka di dalam pelbagai bidang.

Sebagai tambahan, penerbitan ini juga disertakan dengan sisipan garis masa 'Palestin, Sejarah dan Budaya yang Dilupai', yang merupakan hasil usaha pihak muzium.

Kami mempelawa para pembaca untuk menjelajahi dan meneroka khazanah MKIM menerusi Garis Masa Peradaban Islam yang kami yakini boleh menjadi sumber maklumat berguna dan berharga pada setiap masa.

PENGENALAN

Hijrah, atau perpindahan Nabi Muhammad ﷺ dari kota Mekah ke kota Madinah menandakan permulaan kalendar Islam, namun apa yang lebih penting ialah peristiwa ini menjadi titik tolak kelahiran sebuah masyarakat Islam. Ia dibina di atas sebuah ikatan yang unik, persaudaraan di antara kaum Muhajirin (pendatang) dan Ansar (penduduk Madinah); dan berjaya memukau dunia dengan kegemilangan peradabannya.

Dua belas tahun sebelum penghijrahan ini, Nabi Muhammad ﷺ telah mula menerima wahyu melalui perantaraan Malaikat Jibrail ؑ. Wahyu pertama yang diturunkan merupakan perintah kepada Nabi ﷺ yang bermaksud: "Bacalah: dengan (menyebut) nama Tuhanmu Yang menciptakan." (Surah al-'Alaq).

Nabi Muhammad ﷺ telah menyebarkan agama tawhid Islam dari tahun 610 hingga 622 M kepada penduduk Mekah. Baginda menekankan tentang keesaan Allah ﷻ, dan menolak penyekutuan terhadapNya. Ini menjadi tunggak utama rukun Islam. Di antara orang pertama yang beriman kepada Allah dan utusan-Nya Muhammad ﷺ ialah isteri baginda, Khadijah. Bagaimanapun masyarakat Arab memandang Islam sebagai ancaman kepada kuasa mereka. Di Mekah, keselamatan Nabi ﷺ dan para pengikutnya semakin terancam, ekoran daripada penderaan dan penganiayaan yang dilakukan oleh orang kafir, lantas membawa kepada penghijrahan ke Yathrib, Madinah.

Di Madinah, Nabi ﷺ telah merangka Piagam Madinah yang menandakan kemunculan sebuah kerajaan Islam pertama. Pada 630 M, umat Islam telah memulakan rancangan peluasan. Mereka menuju ke Mekah untuk memusnahkan semua berhala dan menjaga keselamatan tanah suci ini untuk tujuan ibadah haji. Mekah merupakan pusat perniagaan dan ibadah haji sejak berabad lamanya, ia juga merupakan kiblat bagi umat Islam ketika mendirikan sembahyang semenjak 624 M.

Dalam tahun yang sama, Nabi ﷺ telah menunaikan haji yang merupakan rukun Islam kelima. Kemuncak ibadah ini adalah khutbah perpisahan, yang telah memberi garis panduan dan nasihat kepada umat Islam. Beberapa bulan kemudian, pada 632 M, Nabi ﷺ telah wafat di rumah baginda di Madinah, sewaktu berusia 63 tahun.

Selama 23 tahun, Nabi Muhammad ﷺ menerima dan menyampaikan wahyu al-Qur'an.

Sejak wahyu yang pertama, Nabi ﷺ menghafal potongan-potongan ayat yang diturunkan. Kemudian, baginda membacakannya kepada para sahabat dan mengarahkan penyalinannya. Ayat-ayat tersebut dibacakan semula di hadapan baginda untuk tujuan semakan. Sewaktu bulan Ramadan, Nabi ﷺ akan membaca ayat-ayat yang diturunkan dalam susunan yang betul.

Sewaktu pemerintahan Khalifah al-Rashidun, al-Qur'an telah dikumpulkan dan empat buah salinan telah dihasilkan. Salinan ini kemudiannya telah menjadi Mushaf rasmi, yang dikenali sebagai Mushaf Uthmani. Ia disalin dan dihantar ke wilayah-wilayah baru. Usaha Nabi ﷺ dalam menghantar utusan kepada pemerintah dan pemimpin empayar di zamannya untuk mengajak mereka menerima Islam, diteruskan secara meluas oleh empayar-empayar Islam selepas kewafatan baginda. Perluasan empayar yang berterusan ini telah menyediakan peraturan atau panduan bentuk budaya dan luahan artistik. Ini menggalakkan pemilihan dan penyerapan pelbagai budaya tradisional serta perkembangannya dan integrasi budaya ke dalam penyatuan peradaban Islam. Demikian itu, dengan terbitnya buku garis masa dinasti-dinasti utama yang ringkas ini, budaya masyarakat Afrika Utara, Semenanjung Tanah Arab, Anatolia, Parsi dan Benua kecil India serta Asia Tenggara dan China dipersembahkan sebagai ciri utama peradaban Islam.

Muzium Kesenian Islam Malaysia

GARIS MASA PERADABAN ISLAM

Koleksi Muzium Kesenian Islam Malaysia

DINASTI UMAYYAH

661 M / 41 H
Peristiwa pembunuhan Khalifah al-Rashidun keempat Saidina 'Ali ibn Abi Talib ﷺ. Gabenor Syria, Muawiyah ibn Abi Sufyan, dilantik sebagai Khalifah dan beliau telah menjadikan Damsyik ibu kota umat Islam.

670 M / 49 H
Uqba ibn Nafi telah menawan barat laut Afrika dan meletakkan batu asas Masjid Kairouan.

◀ *Matawang*
Wasit.
738 M / 120 H
Dirham ini dihiasi dengan shahadah dan ayat al-Qur'an dalam khat kufi.

680 M / 60 H
Peperangan Karbala di mana cucu Nabi Muhammad ﷺ, Husayn ibn 'Ali telah terkorban.

691–2 M / 71–2 H
Kubah al-Sakhrah dibina di Baitulmaqdis oleh Khalifah Abd al-Malik ibn Marwan.

◀ *Kubah al-Sakhrah*
Baitulmaqdis. 691 M / 71 H
Monumen Islam tertua berbentuk oktagon yang mengelilingi sebongkah batu yang merupakan tempat Nabi Muhammad ﷺ diangkat ke langit sewaktu Israk Mikraj. Ruang dalamannya dihiasi mozek bercorak flora yang menggambarkan Taman Syurga.

DINASTI ABBASIYYAH
(750–1258 M / 132–656 H)

Zaman Abbasiyyah dikenali sebagai 'Zaman Kegemilangan' peradaban Islam. Ia menyaksikan perpindahan pusat pemerintahan Islam dari Syria ke Iraq, di mana Khalifah al-Mansur (754–775 M) memerintahkan pembinaan kota Baghdad berbentuk bulat yang mempunyai sebuah masjid dan istana di bahagian tengah dan empat buah jalan utama menuju ke bandar-bandar besar seperti Kufah, Basrah, Damsyik dan Herat. Baghdad telah berkembang bukan sahaja sebagai kota budaya dan perdagangan dunia Islam malah ia menjadi pusat intelek yang menyaksikan pertumbuhan institusi pendidikan seperti Bayt al-Hikmah.

Pemerintahan Khalifah Haroun al-Rashid (786–808 M) terkenal dengan kecemerlangan intelektual, artistik dan seni bina serta kemajuan pencapaian cendekiawan Islam. Perkembangan industri perdagangan dinasti ini telah menyaksikan penggunaan dinar emas dan dirham perak Abbasiyyah di persada dunia seperti di China, India, Asia Tenggara dan Eropah. Sutera, perisai, seramik berkilat dan tebu merupakan komoditi utama di dalam pasaran ekspot.

Khalifah al-Mutawakkil (847 M) memerintahkan pembinaan sebuah masjid yang besar di bandar baru Samarra. Ia menjadi bukti kegemilangan Dinasti Abbasiyyah. Masjid ini mempunyai beberapa buah pintu gerbang di sekeliling halaman dalamnya yang terbuka, di samping ruang tambahan yang dipanggil ziyada dan sebuah menara berpusar yang berasingan. Masjid batu-bata yang tersergam ini menjadi contoh seni bina utama dunia Islam. Secara artistik, dindingnya dilapisi ukiran plaster dalam gaya potongan serong. Corak tumbuhan dan geometri abstrak yang berulang telah menjadi ikutan dan turut menghiasi objek-objek lain seperti barangan kayu dan logam.

Sejajar dengan perkembangan dinasti ini, khalifah-khalifahnya telah menghantar gabenor untuk memerintah bahagian-bahagian kecil empayar, menguruskan pungutan cukai dan menyatakan taat setia kepada khalifah di dalam setiap khutbah Jumaat. Setelah beberapa lama, para gabenor menjadi pemerintah bebas dan mula menubuhkan dinasti tempatan separuh merdeka. Dinasti Abbasiyyah juga mengalami ancaman utama dari penjajahan Dinasti Buyid (932-1062 M) dan Seljuk (1038-1307 M). Pada 1258 M / 656 H, pemerintahan dinasti Abbasiyyah berakhir dengan penaklukan tentera Mongol dan kemusnahan bandar-bandarnya.

◀ **Menara Masjid Samarra**
Samarra, Iraq
Abad ke 9 M / abad ke 3 H

750 M / 132 H
Abu al-Abbas al-Saffah dilantik menjadi khalifah di Kufah.

751 M / 133 H
Tentera Islam menawan pembuat kertas Cina dan memperkenalkan teknologi pembuatan kertas ke dunia Islam.

▶ **Matawang**
Kufah.
749 M / 132 H
Tulisan pada dirham perak Abbasiyyah mengikut contoh dinasti sebelumnya. Matawang ini ditempa sewaktu pemerintahan Khalifah al-Saffah.

762–3 M / 144–5 H
Kota Baghdad diasaskan.

DINASTI ABBASIYYAH

690 M / 70 H
Khalifah Abd al-Malik menyusun semula pentadbiran dan menempa matawang dengan tulisan Arab.

706–15 M / 86–95 H
Masjid Damsyik dibina.

▲ **Matawang**
*Damsyik. 708 M / 89 H
Dirham ini dihiasi dengan lingkaran khat kufi di kedua-dua permukaannya.*

749–50 M / 129–32 H
Pemerintahan Umayyah berakhir dengan revolusi Abbasiyyah. Abdul Rahman melarikan diri ke Sepanyol, di mana beliau mengasaskan Empayar Cordoba pada 756 M.

▲ **Masjid Umayyah**
*Damsyik, Syria. 661 M / 40 H
Dibina oleh Mu'awiyah ibn Abi Sufyan, pengasas Dinasti Umayyah. Pada awalnya, ia merupakan Gereja St. John the Baptist. Dari 706–715 M / 87–96 H, masjid ini telah bercirikan seni bina Umayyah yang unik dengan kehadiran tiga buah pintu gerbang utama.*

▲ **Helaian al-Qur'an**
*Afrika Utara
Abad ke 8–9 M / abad ke 2–3 H
Disalin dalam gaya tulisan Kufi, helaian folio ini memperlihatkan penggunaan dakwat, pigmen dan emas pada kertas kulit.*

711 M / 92 H
Gabenor Umayyah, Musa ibn Nusair memulakan penaklukan Sepanyol dan Transoxiana.

15

DINASTI ALMORAVID, ALMOHAD DAN NASRID
(Abad ke 11–15 M / abad ke 5–9 H)

Walaupun Sepanyol dan Afrika Utara pernah ditawan oleh Tarq ibn Ziyad pada 711 M, sebagai sebahagian daripada perluasan wilayah Islam di Barat, tetapi Andalus secara rasminya disatukan di bawah pemerintahan Islam sewaktu pemerintahan Gabenor Yusuf al-Fihri (747- 756 M). Dengan berakhirnya pemerintahan dinasti Umayyah pada 750 M / 132 H, Putera Abdul-Rahman I berjaya melarikan diri ke Sepanyol dan menewaskan Gabenor Yusuf dan seterusnya menubuhkan pemerintahan Umayyah yang bebas di sana. Pemerintahan Umayyah di Sepanyol terkenal dengan kehidupan istana yang penuh berbudaya dengan para seniman, ahli muzik, penyair yang mengembangkan bakat mereka di dalam kawasan seni bina baru yang tersergam dengan hiasan yang indah dan mewah. Pada 929 M, Abdul Rahman telah mengisytiharkan dirinya sebagai khalifah. Namun, pada 1031 M, di bawah pemerintahan Hisham III, kerajaan Umayyah di Sepanyol telah berakhir dengan kota Andalus dibahagikan kepada kerajaan-kerajaan kecil yang dikenali sebagai Taifa. Pada abad ke 11-12 M, dinasti Almoravid (1056-1247 M) dan Almohad (1130-1269 M) telah menjadi pemerintah Andalus yang utama.

Dinasti Almoravid (al-Murabitun), yang muncul di Afrika Utara, menjadikan Marrakesh sebagai ibu kotanya pada 1062 M. Kemudian mereka telah mengambil alih Andalus pada 1090 M dan menikmati kehidupan mewah dan berbudaya yang ada di situ. Sultan Almoravid terakhir, Ali ibn Yusuf (1106-42 M), merupakan seorang pencinta seni bina dan penaung seni. Pada 1150 M, satu kuasa baru yang dikenali sebagai Berber telah muncul di Afrika Utara, Almohad (al-Muwahhidun 1150-1269 M). Mereka menawan Maghribi sehingga ke Seville dan Cordoba serta menjadikan Seville ibu kota mereka, sementara Marrakesh menjadi pusat pemerintahannya. Pada 1212 M, Almohad telah ditewaskan dalam perang Las Navas de Tolosa dan Semenanjung Iberia telah didominasi oleh masyarakat Kristian, kecuali sebuah wilayah kecil di bahagian tenggara, yang diasaskan pada 1232 M dan dikenali sebagai Kesultanan Nasrid (1232-1492 M). Mereka mengasaskan ibu kota di Granada, sehingga ia menjadi salah sebuah pusat budaya terkemuka di dunia Islam. Pada waktu itu, Istana Alhambra dibina, barangan seramik berkilat mencapai kemuncak kemasyhurannya selain daripada tekstil serta jubin bertatah yang juga turut berkembang.

◄ **Pemandangan Alhambra**
Granada, Sepanyol
Abad ke 10 M / abad ke 4 H

1031–90 M / 422–82 H
Kemunculan taifa; dinasti-dinasti kecil di Semenanjung Iberia.

1030–59 M / 420–50 H
Pergerakan Almoravid di Maghribi.

◄ **Pasu berkilat Hispano-Moresque**
Alhambra, Sepanyol
Abad ke 19 M / Abad ke 13 H
Lustre atau kilauan ialah teknik glis yang telah digunakan oleh pembuat tembikar Islam seawal abad ke 8 M. Di Sepanyol, pusat pertama yang menghasilkan barangan lustre berkualiti tinggi ialah Malaga.

1062–70 M / 453–62 H
Kota Marrakesh diasaskan.

◄ **Panel kayu**
Kesultanan Nasrid, Sepanyol
Abad ke 15 M / abad ke 9 H
Sekeping panel kayu yang pernah menghiasi sebuah monumen seni bina di Sepanyol sewaktu pemerintahan Nasrid. Ia diukir dengan kalimah Allah dan motif flora.

DINASTI ALMORAVID, ALMOHAD DAN NASRID

1212 M / 608 H
Samarqand dimusnahkan oleh Khwarazmys.

1258 M / 656 H
Tentera Mongol menamatkan pemerintahan khalifah Abbasiyyah di Baghdad.

1279 M / 677 AH656 H
Tentera Mongol Ilkhanid menamatkan pemerintahan Seljuk.

▲ *Cermin*
Asia Tengah.
Abad ke 12 M / abad ke 6 H
Bahagian belakang cermin ini dihiasi dengan dua ekor haiwan bersayap di antara motif dedaunan, lingkaran tulisan tentang pemberian restu dalam gaya Kufi dan simbol azimat.

1081 M / 473 H
Puak Seljuk Rum mula dikenali dan mengasaskan ibu kota mereka di Konya.

1080 M / 472 H
Siyasatnameh adalah sebuah rekod kerajaan yang ditulis oleh Wasir Nizam al-Mulk dan pemerintah Malih Shah.

▲ *Mangkuk*
Iran Tengah.
Abad ke 13 M / abad ke 7 H
Tulisan di sekeliling bibir mangkuk bermaksud:
"Kegemilangan abadi dan rezeki yang makmur, kemegahan, tuah, usia yang panjang, dan kemewahan dan kebahagiaan."

1156-72 M / 550-67 H
Pemerintahan Khwarazm Shah II Arslan.

1190 M / 585 H
Maharaja Jerman, Frederick Barbarossa, menakluki Konya.

21

DINASTI SELJUK (1038–1307 M / 429–706 H)

Kaum nomad Turkik di Asia Tengah yang dikenali sebagai Seljuk telah memeluk Islam dan mengambil alih pemerintahan di wilayah timur dunia Islam dengan menawan Baghdad dan menjadi pelindung khalifah Abbasiyyah. Kesultanan Seljuk berkembang dengan pantas dan pada akhir abad ke 11 M ia telah pun menakluk Iran, Iraq dan Anatolia. Keturunan Seljuk kemudiannya dibahagikan kepada dua iaitu Seljuk Rum dan Kesultanan Seljuk yang Agung.

Pada 1038 M, dinasti Seljuk yang Agung telah menawan Nishapur yang merupakan pusat strategik dan perdagangan di Laluan Sutera. Ia kemudiannya menjadi pusat intelektual dunia Islam. Pada masa itu, Khurasan merupakan pusat penghasilan barangan logam yang penting sementara Kashan merupakan pusat pengeluaran tembikar berkilat dan barangan mina'i. Naungan diraja diperluaskan kepada seni bina dan beberapa buah pusat pengajian yang terkenal didirikan di Baghdad. Di bawah pemerintahan Sultan Malik Shah (memerintah 1073–1092 M), Masjid Isfahan telah diperluaskan dan diperindahkan lagi dengan ukiran plaster yang sangat indah di bahagian mihrab.

Pada 1071 M, selepas perang Manzikert di wilayah timur Turki, jajahan Seljuk telah diperluaskan hingga ke Anatolia. Suku kaum yang dikenali sebagai Seljuk Rum ini telah membentuk sebuah kesultanan yang kuat pada abad ke 13 M. Hasil seni mereka menggabungkan beberapa elemen Parsi, Yunani dan Armenia. Gabungan ini telah berjaya menghasilkan istilah-istilah seni hiasan Islam baru yang merujuk kepada permukaan bangunan batu berukir di Madrasah Gok (1271 M) di Siva dan Kompleks Divrigi di Erzurum (1228–29 M). Kesultanan ini berakhir dengan serangan Mongol Ilkhanid, pada 1243 M di dalam Perang Kose Dagh.

◀ **Menara Kaylan**
Bukhara, Uzbekistan
Abad ke 12 M / abad ke 6 H

1036–37 M / 427–28 H
Seljuk yang Agung di bawah pemerintahan Tughril Beg dan Chaghri Beg telah menawan Khurasan (Nishapur).

▲ **Serpihan batu**
Iran. Abad ke 12 M / abad ke 6 H

1055 M / 446 H
Seljuk menjadi perlindung kepada khalifah di Baghdad.

1071 M / 463 H
Sultan Alp Arslan menewaskan tentera Yunani di Manzikert.

◀ **Mangkuk**
Iran Tengah.
Abad ke 13 M / abad ke 7 H
Bahagian tengah mangkuk ini mempunyai lukisan dua orang yang sedang duduk di kiri dan kanan sebatang pokok cypress dan sebatang tali air. Hiasannya diperindahkan lagi dengan lingkaran geometri, simpulan dan kaligrafi pseudo.

DINASTI SELJUK

▲ **Perca kain**
Mesir. Abad ke 10-11M / abad ke 4-5 H
Perca kain linen ini tidak berwarna dan ia mempunyai sebaris tulisan kaligrafi Kufi yang bermaksud: ' Semoga Allah memanjangkan usianya."

1099 M / 492 H
Tentera Fatimiyyah ditewaskan oleh tentera Salib di Acre.

1171 M / 566 H
Salahudin menamatkan pemerintahan Khalifah Fatimiyyah dan menjadi pengasas kepada Dinasti Ayyubiyyah di Mesir dan Syria.

▲ **Anting-anting**
Mesir atau Syria.
Abad ke 10-11 M / abad ke 4-5 H.
Anting-anting emas berbentuk bulan sabit ini dihiasi dengan potongan dawai yang ringkas dan tombol-tombol kecil berhias butiran keemasan.

1174 M / 569 H
Salahudin menawan Damsyik.

1187 M / 582 H
Salahudin menumpaskan tentera Salib di Hittin.

1187 M / 582 H
Dinding kubu kota Kaherah dibina.

▲ **Penapis air**
Mesir
Abad ke 10-11M / abad ke 4-5 H
Penapis air yang diperbuat daripada tanah liat ini tidak berglis dan dihiasi dengan ukiran tebuk. Ia merupakan bahagian dalam pada leher sebiji kendi.

1192 M / 587 H
Perjanjian damai antara pemerintah Ayyubiyyah dan tentera Salib.

1211 M / 607 H
Pembinaan makam Imam al-Shafie di Kaherah.

1250 M / 647 H
Pemerintahan Mamluk di Mesir.

DINASTI FATIMIYYAH DAN AYYUBIYYAH (909–1250 M / 297–647 H)

Dinasti Fatimiyyah muncul di Afrika Utara sebagai sebuah khalifah bebas yang mendakwa mereka berasal dari keturunan Fatimah, Puteri Nabi Muhammad ﷺ. Pada 969 M, jeneral Fatimiyyah, Gawhar al-Siqili telah menawan Mesir dan mengasaskan kota diraja Kaherah. Kota mewah ini mempunyai dua batang jalan bersilang yang dipanggil al-Qasaba, yang membahagi kota tersebut kepada empat bahagian. Di persimpangannya terletak kolej Islam pertama, Al-Azhar yang ditubuhkan pada 973–985 M. Kota ini kemudiannya berkembang sebagai sebuah pusat perdagangan dan budaya dunia Islam.

Khalifah Fatimiyyah merupakan penaung seni dan kilang-kilang yang menghasilkan rekaan baru pada tekstil, tembikar, barangan batu kristal dan logam. Istilah-istilah hiasan berkembang dan gaya-gaya olahan corak zoomorfik turut digunakan di samping motif kaligrafi pada tekstil terutamanya lingkaran Tiraz. Teknik glis berkilat yang digunakan pada tembikar dan barangan kemas Fatimiyyah menjadi terkenal di seluruh dunia.

Pembinaan semula kota berkubu oleh Wazir Badr al-Jamali berlaku pada abad ke 11 M dengan bantuan arkitek berketurunan Armenia. Kubu baru ini termasuk Masjid al-Hakim (memerintah 996–1013 M) yang menandakan ciri-ciri seni bina Fatimiyyah.

Pada 1169 M, Salahudin al-Ayyubi (Saladin) tiba di Kaherah dalam misi mempertahankan kota ini daripada ancaman tentera Salib. Tidak lama kemudian, beliau menubuhkan dinasti Ayyubiyyah di Mesir dan Syria. Salahudin menawan Baitulmaqdis pada 1187 M dan menjadi tokoh lagenda sejarah Islam. Di Mesir dan Syria, Dinasti Ayyubiyyah yang mahir dalam pembinaan kubu telah memperkenalkan bangunan-bangunan khusus untuk pendidikan seperti madrasah (pusat pembelajaran) dan khanqah (pusat ibadah) untuk menyebarkan ajaran Islam sunni.

Dinasti Ayyubiyyah mewarisi kemewahan Khalifah Fatimiyyah. Mereka menjadi penaung bagi penghasilan barangan logam bertatah, seramik dan barangan kaca berenamel. Sempadan wilayah mereka merangkumi dua bandar suci Mekah dan Madinah sehingga ke Yaman. Namun, akibat daripada terlalu bergantung kepada tentera dari golongan hamba untuk operasi-operasi ketenteraan, kerajaan Ayyubiyyah telah digulingkan dan golongan tentera tersebut kemudiannya menubuhkan Kesultanan Mamluk (1250–1517 M).

◄ *Masjid al-Azhar*
  Kaherah, Mesir
  Abad ke 10 M / abad ke 4 H

909 M / 297 H
Dinasti Fatimiyyah yang berfahaman Syiah telah muncul di Afrika Utara.

936 M / 324 H
Kota Mahdiyyah dijadikan sebagai bandar diraja.

969 M / 358 H
Dinasti Fatimiyyah menawan Mesir dan mengasaskan kota Kaherah.

970 M / 359 H
Masjid al-Azhar dibina.

1073–94 M / 465–86 H
Amir and Wazir Badr al-Jamali membaiki kubu Kaherah.

▼ **Kaki balang**
*Mesir. Abad ke 14 M / abad ke 8 H
Kaki balang atau kilga ini diperbuat daripada batu marmar, untuk menampung balang tembikar tanah yang besar dan tidak berglis atau zir, yang membolehkan air ditapis melalui badannya yang poros ke dalam takungan batu di bawahnya.*

DINASTI FATIMIYYAH DAN AYYUBIYYAH

▲ **Helaian al-Qur'an**
Kemungkinan Mekah atau Madinah
Abad ke 8-9 M / abad ke 2-3 H
Helaian al-Qur'an ini mengandungi 16 baris tulisan Kufi dengan tanda bacaan berwarna merah dan sekumpulan garisan pendek berwarna coklat sebagai tanda ayat. Kepala surah ditulis dengan emas di atas panel yang dihias dengan corak bunga keemasan.

786-809 M / 169-93 H
Khalifah Haroun al-Rashid dan 'Zaman Kegemilangan'.

836 M / 221 H
Kota Samarra diasaskan.

◀ **Mangkuk**
Syria.
Abad ke 12-13 M / abad ke 6-7 H
Dihiasi dengan teknik dikenali sebagai sgraffiato, mangkuk ini ditoreh sedikit di atas cairan tanah liat untuk menunjukkan bahagian dalamnya. Hiasannya memperlihatkan lukisan tangan dan mempamerkan percikan glis besi dan tembaga.

1242-58 M / 639-56 H
Al-Mustasim, sebagai khalifah Abbasiyah terakhir di Baghdad.

◀ **Matawang**
Mesir.
866 M / 252 H
Selain syahadah dan ayat al-Qur'an, dinar emas mempamerkan nama dan gelaran Khalifah Al-Mu'tazzu billah Amir al-Mu'minin, di bahagian tengah di belakang.

1258 M / 656 H
Serangan Mongol mengakhiri pemerintahan Abasiyyah.

▼ **Helaian al-Qur'an**
Afrika Utara.
Abad ke 9-10 M / abad ke 3-4 H
Disalin dalam tulisan Kufi pada velum, helaian al-Qur'an ini mengandungi Surah Ali 'Imran, ayat 190-192.

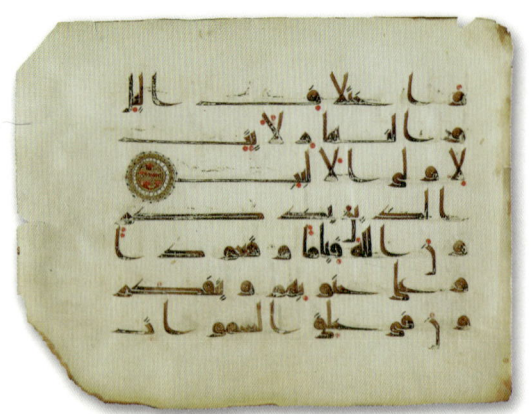

17

DINASTI MAMLUK
(1250-1517 M / 648-922 H)

Dinasti Mamluk terbahagi kepada dua zaman iaitu zaman Bahri Mamluk (1250-1382 M / 648-784 H) dan zaman Burji Mamluk (1382-1517 M / 784-923 H). Dinasti Mamluk berasal daripada golongan tentera hamba yang mengambil alih kuasa daripada dinasti Ayyubiyyah di Mesir dan Syria. Mereka terkenal sebagai pembela agama Islam, penghalang kemaraan tentera Mongol dan penyatu dalam memperluaskan kuasa dalam menggabungkan Sudan, Libya dan beberapa wilayah di Anatolia dan Tanah Arab. Antara pemerintah Mamluk yang terawal dan paling berpengaruh ialah Sultan Qalawun, seorang penaung seni yang membina sebuah kompleks makam dan pusat pengajian serta hospital Qalawun (1284-5 M / 683-4 H). Ia merupakan sebuah monumen agung di tengah-tengah kota Kaherah. Bahagian hadapan kompleks ini memperlihatkan lingkaran ukiran kaligrafi dan rekaan susunan tingkap bangunan yang elegan dikenali sebagai set Qalawun.

Golongan Burji Mamluk sangat mahir dalam seni ukiran batu. Kubah batu berukir menjadi salah satu kriteria seni bina mereka. Kubah-kubah mereka berbentuk tentulang dan siku-sika yang diperindahkan dengan motif hiasan geometri berjalin, bintang dan skrol arabes. Ciri hiasan yang paling utama yang diletakkan pada seni bina dan kraf dinasti Mamluk ialah jata yang mengandungi gelaran sultan yang dimuatkan pada lingkaran kaligrafi. Sumbangan dinasti Mamluk dalam kesenian Islam termasuklah seni kaca berenamel dan bersepuh emas, barangan logam dan kayu yang bertatah, serta tenunan tekstil dan permaidani.

◀ **Kubah Qaitbay**
Kaherah, Mesir
Abad ke 15 M / abad ke 9 H

1250 M / 648 H
Permaisuri Shajar al-Dur memerintah Mesir.

1260 M / 658 H
Sultan Baybar memerintah dan menghalang kemaraan tentera Mongol di Ayn Jalut.

▶ **Dulang**
Mesir atau Syria. Abad ke 14 M / abad ke 8 H
Dihias corak turisan dan tatahan yang mempunyai hiasan tengah berbentuk figura yang mewakili enam biji planet di sekeliling matahari.

1279 M / 677 H
Seni bina di Kaherah berkembang di bawah pemerintahan keturunan Sultan Qalawun.

1291 M / 689 H
Sultan al-Ashraf Khalil menawan Acre dan menghalau Tentera Salib.

◀ **Bikar**
Syria. Abad ke 13 M / abad ke 7 H
Bikar kaca silinder ini dihiasi warna biru dan putih, enamel dan medalion bentuk bunga pecah empat yang bersambung pada lingkaran tulisan nasakh emas yang bermaksud:
"Puji-pujian ke atas Tuhan kami"

DINASTI MAMLUK

1090-4 M / 482-6 H
Kota Andalus menjadi wilayah Almoravid.

1134 M / 528 H
Almoravid menumpaskan Alfonso I dari Aragon dan Navarre di Fraga.

1145-6 M / 539-40 H
Almohad menggantikan Almoravid dan memulakan usaha menawan Andalus.

▲ **Helaian al-Qur'an**
Andalus, Sepanyol
Awal abad ke 13 M / awal abad ke 7 H
Helaian velum ini merupakan sebahagian daripada al-Qur'an Andalus yang ditulis dengan gaya tulisan Maghribi menggunakan dakwat coklat gelap serta tanda bacaan berwarna hijau, kuning, merah dan biru.

▲ **Kaki almari kayu berparket**
Kesultanan Nasrid, Sepanyol.
Abad ke 19 M / abad ke 13 H
Dihiasi dengan corak geometri mozek kecil dan motif flora. Kabinet ini mempunyai slogan Dinasti Nasrid seperti La Ghalib illa Allah, yang bermaksud ' tiada penakluk kecuali Allah.'

1157 M / 551 H
Pemerintahan Sultan Muhammad IV.

1483 M / 887 H
Sultan Nasrid, Nasrid Muhammad XII, digulingkan dan ditawan.

1237 M / 634 H
Granada menjadi ibu kota kerajaan Nasrid.

1492 M / 897 H
Granada jatuh ke tangan pemerintah Kristian.

1269 M / 667 H
Pemerintahan Almoravid berakhir.

23

DINASTI IL-KHANID

▲ *Al-Qur'an*
Mesir.
Abad ke 14 M / abad ke 8 H
Naskhah ini mempunyai 459 helaian yang mengandungi 11 baris ayat setiap muka surat yang ditulis dalam gaya Muhaqqaq berwarna hitam. Ia diperindahkan lagi dengan hiasan roset emas dengan titik biru dan merah sebagai penanda ayat.

1323 M / 722 H
Sultan al-Nasir Muhammad menandatangani perjanjian damai dengan pemerintah dinasti Ilkhan, Abu Said.

1340 M / 740 H
Mesir dan Syria diserang wabak penyakit.

1382 M / 783 H
Pemerintahan Burji Mamluk di Mesir bermula dengan Sultan Barquq.

1400 M / 802 H
Maharaja Timur menawan Syria dan memusnahkan Aleppo dan Damsyik.

1485 M / 889 H
Sultan Qaitbai merupakan seorang pemerintah dan penaung seni yang mengarahkan kerja membaik pulih kota suci Mekah dan Madinah.

1516-7 M / 921-2 H
Dinasti Uthmaniyyah menakluki Mesir dan Syria di bawah pemerintahan Sultan Selim I.

▲ *Kaki lilin*
Syria atau Mesir.
Abad ke 14 M / abad ke 8 H

25

DINASTI IL-KHANID (1256-1353 M / 654-754 H)

Di bawah pimpinan Genghis Khan, puak nomad Mongol memulakan gerakan penjajahan di Asia Tengah, Afghanistan dan bahagian utara Parsi selepas berjaya memasuki China dan mengasaskan puak Yuan Mongol. Empayar Mongol terbahagi kepada empat puak atau Khanate: Yuan yang Agung, Changhatay di Asia Tengah (1227-1363 M / 624-764 H), *Golden Horde* (1227-1502 M / 624-908 H) dan dinasti Il-Khanid di Iran (1256-1353 M / 654-754 H). Di bawah pemerintahan Hulagu, cucu Genghis Khan, bala tenteranya telah sampai ke Baghdad pada 1258 M / 656 H dan memusnahkan seluruh kota tersebut serta membunuh khalifah Abbasiyyah yang memerintah pada masa itu. Hulagu digelar "Il-Khan" bermaksud Khan kecil kerana baginda telah menyatakan kesetiaan kepada Khan Agung yang memerintah China. Dinasti Il-Khanid memerintah Iran dan Asia Tengah. Selepas Il-Khan Gazan memeluk Islam pada 1295 M / 694 H, wilayah ini mencapai kestabilan dan kedudukan ekonomi yang kukuh serta kebangkitan semula seni dan budaya. Para pemerintah Il-Khanid merupakan penaung seni, kesusteraan dan seni bina. Antara sumbangan dinasti Il-Khanid ialah penghasilan 'Shahnameh', sebuah manuskrip yang masyhur dengan cerita raja-raja, pembinaan makam Uljaytu di Sultaniyya dan penyerapan elemen-elemen motif Cina ke dalam koleksi seni seniman tempatan. Motif seperti bunga teratai, bunga peony, burung phoenix dan naga menjadi pilihan sebagai hiasan barangan seramik, logam, tekstil dan kaca. Dinasti Il-Khanid juga memperkenalkan seni bina yang dihiasi lapisan jubin, sekali gus menyerlahkan suasana warna-warni pada monumen tersebut. Selepas kemangkatan Il-Khan Abu Said, dinasti ini terbahagi kepada dua dinasti yang singkat tempoh pemerintahannya iaitu Muzaffarid dan Jalayirid.

◄ **Makam Uljaytu**
Sultaniyya, Uzbekistan
Abad ke 13 M / abad ke 7 H

1213 M / 609 H
Genghis Khan (sekitar 1167-1227M) menakluki China dan mengasaskan Dinasti Yuan Mongol serta menawan Asia Tengah dan bahagian utara Iran.

1227 M / 624 H
Empayar Mongol terbahagi kepada empat puak atau Khanate: Yuan yang Agung, Chaghatay, *Golden Horde* dan Dinasti Il-Khanid.

EMPAYAR UTHMANIYYAH

▲ **Mangkuk**
Iran.
Abad ke14 M / abad ke 8 H
Mangkuk serdak campuran berglis nipis ini memperlihatkan warna biru muda yang memancar dari bahagian tengah, dilengkapkan dengan motif hiasan geometri dan tumbuhan.

1258 M / 655 H

Jeneral Mongol Hulagu, cucu kepada Genghis Khan telah memusnahkan kota Baghdad, membunuh Khalifah Abbasiyyah yang terakhir dan menerima gelaran Il-Khan.

◄ **Al-Qur'an**
Iran.
Abad ke13 M / abad ke 7 H
Al-Qur'an bertulis khat nasakh dengan terjemahan bahasa Parsi berwarna merah dan biru di antara baris ayat ini dihiasi dengan penanda ayat, hiasan tepi dan kepala surah keemasan.

1295 M / 694 H
Il-Khan Ghazan (memerintah 1295-1304 M / 694-704 H) telah memeluk agama Islam.

1307 M / 706 H
Uljaytu mengasaskan Sultaniyya sebagai ibu kota yang baru.

1323 M / 722 H
Perjanjian damai antara pemerintah Mamluk dan Il-Khanid.

▲ **Jubin**
Iran Barat. 1270-80 M / 669-679 H
Jubin teracu berwarna biru kobalt, firus dan berkilat ini dihiasi dengan lengkungan yang mengandungi tulisan.

1353 M / 754 H
Dinasti ini dibahagikan kepada dua dinasti yang singkat tempoh pemerintahannya iaitu Muzaffarid dan Jalayirid.

27

EMPAYAR UTHMANIYYAH (1281–1924 M/ 680–1342 H)

Keruntuhan pemerintahan Rum menjadikan wilayah ini terumbang-ambing. Pemerintahan wilayah yang terdiri daripada Ghazi dan Emir mula terbentuk, namun begitu tidak lama kemudian wilayah ini telah diperintah oleh Empayar Uthmaniyyah dari abad ke 14 hingga abad ke 20 M. Empayar ini diasaskan oleh Osman Bey pada 1299 M di kawasan barat laut Anatolia dan berkembang ke sempadan Byzantine dan Balkan. Pada 1453 M / 857 H, Sultan Muhammad al-Fatih (Penakluk yang Agung, memerintah 1451-81 M / 855-886 H), menawan kota Konstantaniah dan menetapkan misi peluasan kuasa empayar. Pada waktu ini, pembinaan Istana Topkapi dimulakan. Di bawah pemerintahan Sultan Selim I (1512-20 M / 918-926 H), keluasan sempadan empayar menjadi dua kali ganda dengan peluasan wilayah, kekalahan pemerintah Safavid, Shah Ismail dalam peperangan Chaldiran, penaklukan ke atas Mesir dan Syria, kekalahan tentera Mamluk dan kawalan laluan Laut Merah. Di bawah pemerintahan Sultan Sulaiman yang Agung (1520-66 M), bidang seni telah berkembang dan zaman ini dikenali sebagai zaman kegemilangan Empayar Uthmaniyyah. Tradisi budaya Parsi dan Mamluk juga telah diserap ke dalam koleksi seni Uthmaniyyah. Arkitek Sinan (1520-66 M) telah membina kompleks-kompleks masjid yang tersergam dan menggalakkan aktiviti pembuatan barangan seni untuk melengkapkan sturktur rekaannya seperti jubin, marmar, jerjak logam, kaca dan kayu di samping kaligrafi, manuskrip dan tekstil. Pusat penghasilan barangan seni yang utama ialah di Bursa bagi pengeluaran sutera dan tekstil, manakala Iznik untuk seramik.

Pada abad ke 18 dan 19 M, Empayar Uthmaniyyah telah menyaksikan ketidakstabilan ekonomi dan politik. Ini membawa kepada kemerosotan yang serius dalam bidang seni. Bengkel diraja mengurangkan tenaga kerja disebabkan oleh tempahan yang semakin terhad. Selain daripada kaligrafi, kebanyakan seniman mahir terpaksa menjual hasil kerja mereka. Penulis khat, Hafiz Osman, guru kepada Sultan Mustafa II dan Sultan Ahmed III (1703-30 M), menyaksikan penubuhan perpustakaan baru di Istana Topkapi, di mana Surname, karya ulung tentang perayaan, dihasilkan. Era ini juga memperkenalkan penggunaan bunga tulip sebagai motif hiasan pada tekstil, iluminasi dan seni bina.

◄ *Pemandangan bahagian dalam masjid Sultan Ahmad*
Istanbul, Turki
Abad ke 15 M / abad ke 9 H

1299 M / 699 H
Pemerintahan Sultan Osman I (1258-1326 M), pengasas Empayar Uthmaniyyah.

1396 M / 799 H
Sultan Bayazid I menumpaskan tentera Salib di Nicopolis.

◄ *Pistol Kekunci Flint*
Uthmaniyyah
Turki. Abad ke 18-19 M / abad ke 12-13 H
Sistem pembakaran pistol kekunci flint menggantikan pistol kekunci api yang awal dan ia lebih cepat dan mudah digunakan. Jenis pistol ini dibuat sewaktu pemerintahan Dinasti Uthmaniyyah. Antara bahan yang sering digunakan untuk membuat senjata api Uthmaniyyah ialah perak, ibu mutiara dan batu separa berharga. Berlainan dengan senjata api yang dihasilkan di Eropah, senjata api dunia Islam dilengkapi hiasan yang indah.

1453 M / 857 H
Sultan Muhammad al-Fatih "Penakluk yang Agung" memerintah 1444-6 M, 1451-81 M), telah menawan Konstantaniah dan menukarkan namanya kepada Istanbul serta menjadikannya ibu kota pemerintahan.

1450 M / 854 H
Istana Topkapi dibina sebagai istana pemerintah Uthmaniyyah.

◄ *Jubin*
Turki. Sekitar 1561 M / sekitar 968 H
Pasangan jubin Iznik berwarna-warni ini dihiasi dengan motif bunga dan daun seperti tulip, teluki dan daun saz yang berwarna merah, biru dan firus.

DINASTI TIMURID

▲ **Pinggan**
Iznik, Turki.
Abad ke 16 M / abad ke 10 H
Motif kapal mula digunakan sebagai motif hiasan pinggan seramik Iznik bermula pada tahun 1530 M. Percubaan rekaan baru ini telah menjadi ciri hiasan yang dikaitkan dengan dinasti Uthmaniyyah.

1514 M / 920 H
Sultan Selim I (1512-20 M) menumpaskan pemerintah Safavid, Shah Ismail, di dalam Peperangan Chaldiran.

1516-7 M / 922-3 H
Sultan Selim I menewaskan pemerintah Mamluk, Sultan al-Ashraf Qansuh al-Ghowri di Magj Dabiq dan selepas itu Tuman Bey II di Ridaniya kemudiannya menawan Mesir, Syria dan Palestin.

◀ **Bekas dakwat**
Uthmaniyyah Turki.
Abad ke 19 M / abad ke 13 H
Bekas dakwat yang dihasilkan sewaktu pemerintahan Empayar Uthmaniyyah ini berbentuk buah pain yang dihias dengan teknik tekan timbul dan ukiran tebuk.

1550 M / 957 H
Arkitek Sinan (1520-66 M) membina Masjid Suleyman di Istanbul.

1550 M / 957 H
Seramik Iznik mencapai kemuncak tertinggi dalam penghasilan seramik.

▲ **Lukisan mini Siyar-I-Nabi**
Uthmaniyah Turki.
Abad ke 16 M / abad ke 10 H
Helaian yang ditulis dalam bahasa Turki ini merupakan sebahagian daripada manuskrip berilustrasi Siyar-I-Nabi yang dihasilkan untuk Sultan Murad III. Manuskrip sebegini mengandungi muka surat berilustrasi yang merujuk kepada sirah Nabi Muhammad ﷺ dan sejarah-sejarah penting Islam.

1612 M / 1021 H
Perjanjian Nasuh Pasha di antara Sultan Uthmaniyyah dan Maharaja Safavid.

1729 M / 1142 H
Ibrahim Muteferrika memperkenalkan surat khabar bercetak pertama dalam bahasa Turki.

1922-3 M / 1341-2 H
Pemerintahan kesultanan dan khalifah dimansuhkan.

DINASTI TIMURID
(1370-1506 M / 771-912 H)

Timur atau Tamerlane mengasaskan dinasti Timurid pada 1370 M di Asia Tengah dan menjadikan Samarqand sebagai ibu kotanya. Baginda telah menakluki Parsi, Iraq, serta sebahagian dari Syria dan Anatolia. Tenteranya telah sampai ke Delhi dan menguasai benua kecil India. Terdapat perancangan untuk menakluki China namun ia terpaksa dilupakan dengan berita kemangkatan Timur pada 1405 M. Timur mewariskan empayar yang luas, kaya dan kuat, namun ia dibahagikan di antara putera baginda Shahrukh (memerintah 1405-47 M) dan kerabat yang lain. Timur dan Shahrukh merupakan penaung seni yang telah menjadikan Herat dan Samarqand antara pusat budaya utama dunia Islam. Banyak bangunan-bangunan utama dibina atas perintah diraja; Timur telah memerintahkan pembinaan Masjid Bibi Khanum di Samarqand (1398-1405 M). Ia merupakan contoh seni bina masjid Timurid yang utama dengan memperlihatkan binaan menara, gerbang pintu masuk dan iwan yang tersergam indah. Timur telah disemadikan di Gur-i Mir yang siap dibina oleh cucundanya Ulugh Beg. Makam Shah-i-zinde di Samarqand mencerminkan kegemilangan seni bina makam berbentuk silinder yang lebih tinggi dan diperindahkan lagi dengan kubah berjubin.

Bengkel diraja Timurid berjaya menarik perhatian para seniman dan ilmuwan dari wilayah berhampiran, sehingga tertubuhnya pusat lukisan miniatur di Shiraz, Tabriz dan Herat. Iluminasi dan ilustrasi manuskrip, seramik, barangan logam dan ukiran batu jed berkembang di bawah naungan sultan Timurid terakhir Hussain Baiqara (memerintah 1478-1506 M). Kesenian dinasti Timurid lebih mudah difahami melalui karya seorang pelukis Behzad (meninggal 1525 M), penyajak Nur el Din Jami (meninggal 1492 M) dan ahli sejarah Ghiyas al-Din Khwandamir (meninggal 1534 M), serta Wazir Mir Ali Shir Nava'i (meninggal 1501 M).

Dinasti Timurid digulingkan oleh Uzbek Khan Muhammad Shaybani pada 1506 M, selepas mengalami beberapa kekalahan kesan kerjasama Uzbek Kara Koyunlu dan Aq Qoyunlu selama beberapa dekad. Antara ahli keluarga diraja Timurid yang terselamat ialah Zahir ul Din Babur, pemerintah Fergana, yang kemudiannya telah mengasaskan dinasti Mughal di India pada 1526 M.

◄ **Bahagian dalam Madrassa Ulugh Beg**
Samarqand, Uzbekistan
Abad ke 15 M / abad ke 9 H

1370 M / 771 H
Timur telah mengasaskan Dinasti Timurid di Asia Tengah dengan menjadikan Samarqand sebagai ibu kotanya.

1404 M / 807 H
Timur mangkat dan disemadikan di makam Gur-i-Mir.

► **Jag**
Timurid Iran. Abad ke 14 M / abad ke 8 H
Jag berbentuk bundar seperti ini merupakan ciri unik kerja logam dinasti Timurid yang diadaptasi oleh dinasti Safavid yang juga merupakan pewarisnya. Antara ciri lain yang dikaitkan dengan dinasti Timurid ialah motif ukiran penunggang kuda, arabes dan pemegang berbentuk ular.

1405-1530 M / 808-936 H
Dinasti Timurid diperintah dari Herat, Afghanistan.

◄ **Jubin**
Timurid Iran.
Abad ke 15 M / abad ke 9 H
Jubin ini dihiasi dengan pengulangan motif bunga yang sering digunakan dalam seni Parsi. Ia merupakan sebahagian daripada elemen seni bina dinasti Timurid di Iran.

DINASTI SAFAVID

1420 M / 823 H
Balai cerap Ulugh Beg dibina di Samarqand. Ia dianggap sebagai salah sebuah balai cerap yang terkemuka di dunia Islam yang pernah digunakan oleh pakar astronomi seperti Al-Kashi dan Ali Qushji untuk meramalkan gerhana dan juga untuk mengira kitaran matahari, bulan dan juga jasad cakerawala. Ia dimusnahkan pada 1449 M.

1469 M / 874 H
Aq Qoyunlu Uzun Hassan menewaskan tentera Timurid di bawah pemerintahan Abu Said.

1500 M / 906 H
Tentera Uzbek menawan Samarqand dan menguasai sempadan Timurid.

1526 M / 933 H
Peperangan Panipat: waris Timurid, Babur mengalahkan Sultan Delhi, Ibrahim Lodi dan mengasaskan empayar Mughal di India.

▶ *Jubin*
Bahagian barat Asia Tengah
Akhir abad ke 14 M / abad ke 8 H
Jubin terracotta berukir dan berglis mencapai kemuncak kemasyhurannya pada abad ke 14 M di bawah pemerintahan dinasti Timurid. Kemungkinan jubin yang berukir indah dan dihiasi dengan corak bungaan dan dedaunan yang simetri dan dilapisi dengan glis biru firus ini merupakan sebahagian daripada unit muqarnas, sejenis elemen hiasan pada seni bina Islam yang menyerupai stalaktit.

31

DINASTI SAFAVID
(1501–1732 M / 907–1145 H)

Shah Ismail Safavi (memerintah 1501-24 M) yang berketurunan Sufi Sheikhs Ardabil telah menaiki takhta pada abad ke 16 M. Dengan bantuan daripada puak Turkmen dan Qizilbash, Shah Ismail berjaya menumpaskan Aq Qoyunlu, menguasai Iran dan Azerbaijan dan mengisytiharkan Islam Syiah sebagai agama rasmi kerajaannya dengan Tabriz sebagai ibu kota. Selepas sepuluh tahun, empayar Safavid telah menguasai seluruh Iran, walaupun pada 1514 M, mereka ditewaskan dalam peperangan Chaldiran menentang tentera Uthmaniyyah. Tabriz dimusnahkan dan segala harta benda dirampas. Kemudian, ibu kota empayar Safavid dipindahkan ke Qazwin sewaktu pemerintahan Shah Tahmasp (memerintah. 1524-76 M) dan kemudian ke Isfahan di bawah pemerintahan Shah Abbas I (1587-1629 M).

Sewaktu pemerintahan Shah Tahmasp, bidang seni dan budaya telah mencapai zaman kegemilangannya. Istilah-istilah hiasan Safavid telah muncul dengan menyatukan gaya diraja Timurid dan Turkmen yang terdahulu. Shah Tahmasp merupakan seorang pelukis, penulis kaligrafi dan seorang penaung seni yang aktif. Baginda telah memerintahkan supaya epik terkenal Firdausi 'Shahnameh' disalin, dihias dan diilustrasi dengan lebih daripada 250 buah karya lukisan miniatur. Kemudian, manuskrip ini telah dipersembahkan kepada Sultan Uthmaniyyah, Sultan Selim II (memerintah 1566-74 M), sewaktu pertabalan baginda.

Empayar Safavid telah mencapai kegemilangannya di bawah pemerintahan Shah Abbas I. Pada 1518 M, Isfahan telah dibangunkan dengan mewujudkan sebuah wilayah baru berhampiran dengannya. Ia mempunyai sebuah medan diraja (Maidan-i-Shah) yang dikelilingi dengan empat buah monumen utama, bazar, kemudahan awam dan taman. Isfahan menjadi sebuah pusat perdagangan dan budaya antarabangsa yang baru. Pada 1671-77 M, pengembara Perancis J. Charin menggambarkan Isfahan sebagai "sebuah kota yang paling agung dan indah di Timur." Perdagangan dengan Eropah meningkat dan Shah Abbas juga menyelia kerja-kerja pembuatan permaidani dan tekstil di bengkel diraja. Folio tunggal menjadi terkenal dalam penghasilan manuskrip dengan adanya bekalan kertas yang mencukupi. Seramik juga berkembang dengan penambahan lebih 300 orang pembuat seramik Cina di bengkel diraja.

Empayar Safavid mula merosot selepas kemangkatan Shah Abbas pada 1629 M. Pada 1722 M, kaum Afghan telah merampas Isfahan, malah dinasti kecil seperti Afsharid (1736-96 M) dan Zand (1751-1794 M) juga berjaya menawan beberapa bahagian di Iran. Pada 1770 M, dinasti Qajar mula menguasai Parsi dan mengisytiharkan Tehran sebagai ibu kota pada 1786 M.

◀ *Masjid Imam*
Isfahan, Iran
Abad ke 17 M / abad ke 11 H

1501 M / 907 H
Ismail I mengasaskan dinasti Safavid di Iran.

1514 M / 920 H
Tentera Safavid ditumpaskan oleh tentera Uthmaniyyah di dalam Perang Chaldiran.

◀ *Jubin*
Safavid Iran.
Abad ke 17 M / abad ke 11 H
Ia dihiasi dengan teknik cuerda seca, kedua-dua jubin ini memperlihatkan tiga orang penunggang kuda. Cuerda seca adalah sejenis teknik penghasilan jubin pelbagai warna dengan menggunakan glis berwarna emas. Lakaran nipis dari bahan berminyak digunakan supaya glis tidak bercampur sewaktu dibakar. Teknik ini terkenal di kalangan pembuat tembikar Iran.

1548 M / 955 H
Ibu kota Safavid dipindahkan dari Tabriz ke Qazwin sewaktu pemerintahan Shah Tahmasp.

EMPAYAR MUGHAL

1639 M / 1048 H
Perjanjian damai antara empayar Uthmaniyyah dan Safavid.

▶ *Dekri yang mempunyai cap mohor Shah 'Abbas I*
Safavid Iran.
Bertarikh 1613 M / 1020 H
Firman diraja ini dihiasi dengan motif lingkaran bunga dan cap mohor Shah 'Abbas I (1587–1629 M). Kandungan dokumen ini ialah mengenai bekalan air di wilayah Qazwin. Menteri Qazwin, Aslan Beyg juga menjadi saksi perjanjian ini.

▲ *Panji*
Safavid Iran.
Abad ke 17 M / abad ke 11 H
Panji tentera seperti ini merupakan antara contoh seni peralatan perisai terbaik yang dihasilkan sewaktu era Safavid. Ia dikagumi kerana keindahan buatannya. Panji keluli berukiran tebuk ini dihiasi dengan 'Surah al-Nasr' berlatarkan bunga-bungaan.

1722 M / 1134 H
Suku kaum Afghan Ghalzai menawan Isfahan.

◀ *Kitab Futuh al-Haramayn*
Safavid Iran.
Bertarikh 1533 M / 940 H
Kitab Futuh al-Haramayn ialah karya Muhi al-Din Lari, seorang cendekiawan Iran abad ke 16 M. Ia adalah panduan ke dua buah Kota Suci, Mekah dan Madinah. Ia mengandungi amalan dan doa yang perlu dibaca sewaktu mengerjakan haji dan senarai tempat-tempat suci untuk dilawati.

1598 M / 1006 H
Isfahan menjadi ibu kota baru di bawah pemerintahan Shah Abbas I.

◀ *Jubin*
Safavid Iran.
Abad ke 17 M / abad ke 11 H
Enam keping jubin ini merupakan sebahagian daripada komposisi tulisan kaligrafi Thuluth yang pernah menghiasi sebuah monumen keagamaan yang penting.

33

EMPAYAR MUGHAL (1526–1858 M / 932–1275 H)

Babur ialah pengasas Empayar Mughal yang berketurunan Timurid. Baginda memulakan penaklukan India dengan mengalahkan Lodi dan menawan Delhi serta Agra pada 1526 M. Tidak lama selepas itu, baginda telah menyatukan kebanyakan pecahan Kesultanan Delhi di bawah pemerintahannya kerana kerajaan-kerajaan ini menjadi lemah akibat penaklukan Delhi oleh Timur pada 1398 M. Di bawah pemerintahan cucunda Babur, Akhbar (1556–1605 M), empayar ini diperluaskan ke seluruh benua kecil India. Baginda juga telah mengasaskan Fatehpur Sikri (1569–74 M) berhampiran Agra, memperkemaskan pentadbiran, mengasaskan bengkel diraja, menaungi penulisan manuskrip dan mempelopori sintesis fahaman baru sistem keagamaan pada 1582 M. Di bawah pemerintahan puteranya, Jahangir (1605–1627 M) dan cucundanya, Shah Jahan (1628–1657 M), beberapa buah seni bina agung India telah dibina seperti Taj Mahal di Agra (1632–54 M), Kubu Merah (1638 M), Masjid Mutiara (1552 M) and Masjid Badshahi di Lahore (1673–4 M). Shah Jahan telah memindahkan ibu kota empayar ini dari Agra ke Delhi, di mana ia telah dipagari dengan dinding yang kukuh dan dipenuhi dengan kedai-kedai mewah. Sewaktu pemerintahan Aurangzeb (1658–1707 M), dinasti Mughal meneruskan kegemilangan dengan jumlah penduduk seramai lebih daripada 150 juta orang. Namun begitu pada separuh kedua abad ke 18 M dan awal abad ke 19 M, kuasa Mughal mulai lemah. Dinasti Mughal berakhir setelah Maharaja Bahadur Shah II (1837–1858 M) digulingkan oleh British pada pertengahan abad ke 19 M.

◄ *Taj Mahal*
Agra, India
Abad ke 17 M / abad ke 11 H

1526 M / 932 H
Babur menewaskan Sultan Delhi Ibrahim II di dalam Perang Panipat.

1556 M / 963 H
Maharaja Akhbar memperluaskan empayar ini ke Afghanistan, bahagian utara dan tengah India serta membina sebuah kota di Agra, Fatehpur Sikri dan Lahore.

▲ *Pisau belati*
Utara India atau Deccan.
Abad ke 18 M / abad ke 11 H
Pisau belati ini mempunyai hulu yang diperbuat daripada batu jed putih. Ia dihias dengan corak bunga-bungaan bertatah berlian, zamrud dan delima seperti yang terdapat pada barangan seni Mughal yang lain.

1582 M / 990 H
Akhbar memansuhkan cukai Jizya yang dikenakan ke atas orang bukan Islam.

1584 M / 992 H
Akhbar memperkenalkan sistem pemerintahan baru.

◄ *Lukisan miniatur (Shah Jahan memeluk Aurangzeb)*
Mughal India. Sekitar 1750 M / 1163 H
Lukisan miniatur Mughal memperlihatkan potret semulajadi manusia, haiwan dan tumbuh-tumbuhan. Contoh ini menunjukkan Shah Jahan memeluk puteranya, Aurangzeb. Lukisan miniatur Mughal banyak menggambarkan hasil seni Mughal seperti pakaian, barangan kemas, seni bina dan hiasan dalaman.

DINASTI QAJAR

1799 M / 1213 H
Pertahanan terakhir berakhir dengan pembunuhan pemerintah Mysore, Sultan Tipu oleh Syarikat Hindia Timur British.

▶ *Bekas air mawar*
Mughal India. Abad ke 18 M / Abad ke 12 H
Lazimnya bekas air mawar berbentuk bundar serta mempunyai leher yang panjang dan tirus. Namun, bahan dan reka bentuk yang digunakan berlainan mengikut budaya tempat ia dihasilkan. Contohnya, bekas air mawar ini diperbuat daripada perak dengan hiasan tekan timbul dan enamel.

▲ *Kelalang serbuk*
India. Abad ke 18 M / abad ke 12 H
Dinasti Islam Mughal telah mencipta legasi senjata api, di mana kelalang serbuk letupan merupakan sebahagian daripadanya. Ia diperbuat daripada kayu berlakuer, dihiasi motif tumbuhan yang dikenali sebagai boteh di bahagian badan yang mempunyai persamaan dengan hiasan selendang Kashmir.

1632–47 M / 1041–57 H
Taj Mahal dibina di Agra.

1658 M / 1068 H
Shah Jahan telah digulingkan oleh puteranya Aurangzeb.

1738–9 M / 1151–2 H
Pemerintah Parsi, Nadir Shah telah menawan Delhi dan merampas Takhta Merak.

1765 M / 1178 H
Syarikat Hindia Timur British mendapat kebenaran Maharaja Shah Alam II untuk memungut cukai di Bengal.

1858 M / 1274 H
Pemerintah dinasti Mughal yang terakhir, Maharaja Bahadur Shah II telah dibuang negeri ke Rangoon.

◀ *Kendi*
India. Abad ke 17 M / abad ke 11 H
Bekas air berbentuk seperti bulan sabit ini selalunya dikaitkan dengan bekas air zam-zam yang dibawa oleh jemaah haji ke Mekah.

35

DINASTI QAJAR
(1779–1924 M / 1193–1342 H)

Pengasas Dinasti Qajar, Agha Muhammad Khan telah memilih Tehran sebagai ibu kotanya pada 1786 M. Baginda telah menyatukan semua kerajaan-kerajaan kecil di bawahnya dan mengisytiharkan dirinya sebagai Raja Parsi pada 1796 M. Anak saudara dan pewaris baginda Fath Ali Shah (1797-1834 M) telah menjalinkan hubungan yang rapat dengan kuasa Barat terutamanya British. Baginda merupakan seorang penaung seni. Ketua pelukis diraja pada masa itu ialah Mirza Baba dan Mihr Ali yang amat mahir dalam lukisan potret cat minyak. Muhammad Shah (1834-48 M), cucunda dan pewaris baginda pula beralih ke wilayah timur dan berusaha untuk menawan Afghanistan dan beberapa bahagian di Asia Tengah. Walaubagaimanapun usaha baginda tidak berjaya kerana tekanan dari empayar British. Semasa pemerintahan Nasir al-Din Shah (1848-96 M), British telah memperkenalkan projek pembinaan jalan keretapi dan pengindustrian sebagai salah satu proses modenisasi. Bagaimanapun, dalam masa yang sama, baginda telah dipaksa untuk melepaskan pemilikannya. Nasir al-Din Shah juga merupakan seorang penaung seni. Salah seorang pelukis diraja baginda bernama Muhammad Ismail yang merupakan pelukis lakuer yang terkenal dan berasal dari keluarga Imami. Oleh sebab itu, lukisan lakuer berkembang dengan pesatnya pada waktu itu. Sewaktu Pesta Antarabangsa Paris pada tahun 1867 M, Riza Imami telah mempamerkan sebuah bekas cermin yang dihiasi indah dengan lukisan lakuer. Era ini telah menandakan bermulanya pengaruh gaya Eropah ke dalam seni lukisan Qajar. Pada 1896 M, Nasir al-Din Shah telah dibunuh dan di bawah pemerintahan puteranya Muzaffar al-Din Shah (1896-1907 AD), parlimen yang baru dipilih telah menukarkan sistem kerajaan kepada sistem raja berpelembagaan.

◀ **Taman Bagh-e-Eram**
Shiraz, Iran
Abad ke 18-19 M /
abad ke 12-13H

1736 M / 1148 H
Pemerintahan Afsharid Nadir Shah.

1779 M / 1193 H
Qajar Agha Muhammad menawan bahagian utara Parsi.

▲ **Kotak pen**
Qajar Iran.
Abad ke 19 M / abad ke 13 H
Qalamdan adalah bahasa Parsi yang merujuk kepada kotak pen yang merupakan sebahagian daripada peralatan menulis Islam. Bekas ini adalah contoh teknik hiasan lukisan lakuer yang merupakan sumbangan seni Parsi yang terkenal. Teknik lakuer dan papier mâché telah mencapai kemuncaknya pada abad ke 19 M.

1786 M / 1200 H
Tehran menjadi ibu kota dinasti Qajar.

◀ **Tapak huqqah**
Qajar Iran.
Abad ke 19 M / abad ke 13 H
Tapak huqqah boleh didapati di dalam pelbagai bentuk. Ini merupakan contoh bentuk loceng yang dihasilkan di Iran sewaktu dinasti Qajar. Ia mempunyai leher yang panjang dan sempit, dihiasi dengan ukiran dan enamel corak bunga-bungaan dan burung serta kaligrafi.

KESULTANAN MELAYU

1848-51 M / 1264-67 H
Proses modenisasi oleh Nasir al-Din Shah dan Grand Emir Mirza Taqi Khan.

▶ **Pisau belati**
Iran. Abad ke 18-19 M / abad ke 12-13 H
Pisau ini dihiasi dengan corak bunga-bungaan dan potret manusia. Ia mempunyai bilah keluli dan hulu serta sarung berlakuer.

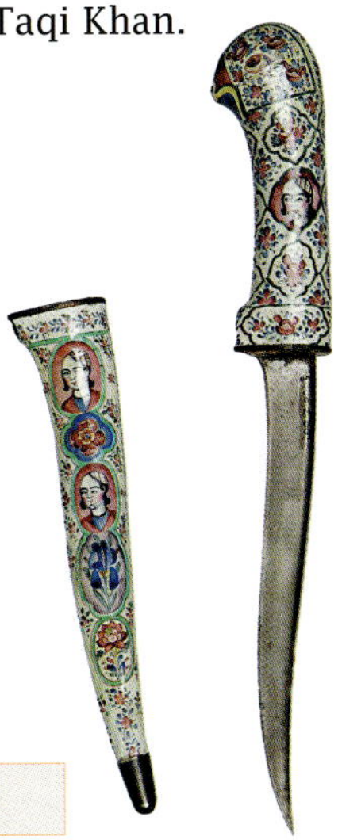

1906 M / 1324 H
Parsi mula mengamalkan sistem raja berpelembagaan.

▲ **Kotak apotekari**
Qajar Iran. Pertengahan abad ke 19 M / abad ke 13 H
Kotak berlakuer ini dibuat menggunakan teknik papier mâché. Kotak ini mengandungi timbang dan pemberat logam. Penutupnya dihiasi dengan motif bunga di bahagian tengah dan dikelilingi dengan ayat-ayat al-Qur'an. Di bahagian akhir tulisan kaligrafi terdapat nama penulisnya iaitu Mir Muhammad Baqir al-Husni al-Isfahani.

1797M / 1211 H
Pemerintahan Fath Ali Shah.

◀ **Loket**
Iran.
Abad ke 19 M / abad ke 13 H
Loket berbentuk bulat ini ditatah dengan batu delima, beril hijau, dan mutiara dalam corak bungaan. Seniman Islam sering menghias bahagian belakang atau dalam sesuatu barangan kemas; ini merupakan ciri-ciri yang unik bagi barangan kemas Islam.

▲ **Mangkuk berpenutup**
Qajar Iran.
Abad ke 19 M / abad ke 13 H
Mangkuk ini dihiasi dengan satu lingkaran kaligrafi gaya Nasta'liq yang diukir di sekeliling bahagian mangkuk dan penutup.

KESULTANAN MELAYU
(Abad ke 15–20 M / Abad ke 9–14 H)

Di Asia Tenggara terdapat sebuah kawasan yang dikenali sebagai Kepulauan Melayu. Kepulauan ini terletak di antara tanah besar Asia Tenggara dan Australia. Di dalam sejarah, ia dikenali sebagai sebuah pusat perdagangan yang awal, khususnya perdagangan rempah. Sebelum kedatangan Islam, masyarakat tempatan mengamalkan ajaran Hindu-Buddha. Islam tiba di Kepulauan Melayu melalui pelbagai cara dan ada dicatatkan kedatangannya seawal abad ke 10 M / abad ke 4 H. Ajaran Islam tersebar dengan cepat dikalangan orang Melayu dengan naungan diraja. Dua buah Kesultanan Melayu yang paling berpengaruh ialah Kesultanan Melayu Melaka (1400–1511 M) di Semenanjung Tanah Melayu dan Kesultanan Demak (1475–1588 M) di Pulau Jawa. Dengan kejatuhan kedua-dua buah kesultanan ini pada abad ke 16 M disebabkan oleh kemaraan kuasa Barat, beberapa buah kesultanan Melayu Islam yang lain telah muncul seperti Kesultanan Acheh, Kesultanan Mataran, Kesultanan Makassar, Kesultanan Brunei dan Kesultanan Ternate. (Nota: Zaman Kegemilangan setiap Kesultanan).

Pelbagai pengaruh budaya dan agama di Kepulauan Melayu telah menyebabkan seni dan kraf di sini berkembang dengan indah dan unik. Islam menyumbangkan tiga elemen hiasan kepada seni Melayu: kaligrafi Arab, geometri dan olahan rekaan haiwan; kerana Islam melarang penggunaan motif figura. Pengaruh Islam boleh dilihat di dalam seni bina, rekaan matawang, kerja kayu dan kerja logam dunia Melayu.

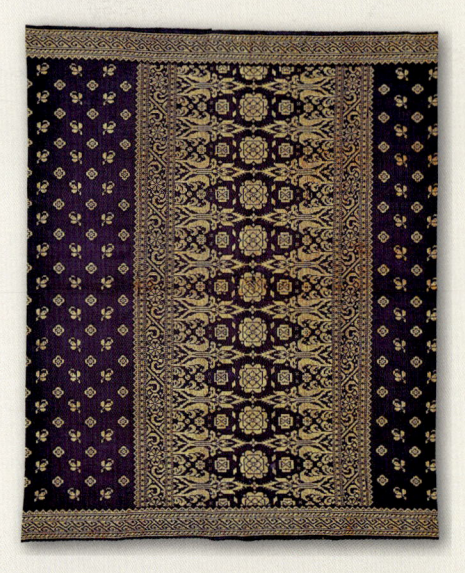

◄ **Masjid Tengkera**
Melaka, Semenanjung Tanah Melayu
Abad ke 18 M / abad ke 12 H

1292 M / 691 H
Marco Polo menulis tentang sebuah kerajaan Islam di Sumatera Utara yang dikenali sebagai Pasai yang diperintah oleh Malik al-Saleh.

1303 M / 702 H
Batu Bersurat Terengganu merekodkan tentang sebuah kerajaan Islam di Terengganu yang diperintah oleh seorang raja bernama, Raja Mandalika.

◄ **Kupang emas**
Johor
1571-1957 M / 978-1005 H
Sekeping duit emas berbentuk oktagon yang dipanggil kupang. Ia bertulis dengan nama Sultan Abd al-Jalil Shah di bahagian hadapan dan Khalifah al-Mu'minin di bahagian belakang.

1346 M / 747 H
Ibn Battuta merekodkan tentang kerajaan Samudra Pasai yang diperintah oleh seorang pemerintah yang alim dan bijaksana dikenali Al-Malik al-Zahir Ahmad

◄ **Kain sarung songket**
Pantai Timur, Semenanjung Tanah Melayu
Abad ke 20 M / abad ke 14 H
Kebiasaannya kain sarung songket dipadankan dengan baju kurung atau kebaya labuh.

ISLAM DI CHINA

▲ Al-Qur'an
Pantai Timur, Semenanjung Tanah Melayu
Abad ke 19 M / abad ke 13 H
Warna merah dan kuning merupakan dua jenis warna yang sering digunakan di Pantai Timur. Iluminasi emas merupakan elemen khas yang digunakan oleh bengkel diraja.

1404 M / 806 H
Yin Ching yang diperintahkan oleh Maharaja Ming, Yongle (memerintah 1402-1424 M), telah tiba di Melaka untuk melawat Melaka sebagai sebuah kerajaan baru.

1479 M / 884 H
Sebuah masjid kayu yang unik telah dibina oleh Raden Patah, seorang pemerintah Kesultanan Islam Demak di Jawa. Gaya seni bina ini telah mempengaruhi seni bina masjid Melayu selepasnya.

1500 M / 905 H
Tom Pires merekodkan para pedagang Gujerat telah membawa tiga puluh jenis kain yang halus dan cantik serta bermutu tinggi ke Melaka menggunakan tiga atau empat buah kapal setiap tahun sebelum penjajahan Portugis.

1605 M / 1013 H
Kesultanan Ternate merupakan kerajaan Melayu pertama yang jatuh ke tangan Syarikat Hindia Timur Belanda (VOC), diikuti dengan dua buah kerajaan Melayu lain iaitu Tidore dan Ambon. Keseluruhan kawasan ini dikenali sebagai Kepulauan Rempah khususnya kerana hasil buah pala dan kulit buah pala.

1824 M / 1239 H
Satu perjanjian telah ditandatangani antara pihak British dan Belanda pada 17 Mac 1824. Perjanjian ini telah mengakibatkan pembahagian dunia Melayu amnya dan Kesultanan Melayu khususnya yang terletak di Semenanjung Tanah Melayu, Sumatera dan Jawa.

▲ Tepak Sirih
Neillo bertatah perak
Mindanao, Filipina
Abad ke 20 M / abad ke 14 H
Di dalam masyarakat Melayu, tepak sirih sering disediakan untuk para tetamu sebagai tanda menyambut kedatangan mereka. Tepak sirih Filipina ini dihiasi dengan tali manik berwarna-warni dan dilengkapi dengan loceng kecil.

ISLAM DI CHINA

Sembilan belas tahun selepas kewafatan Rasulullah ﷺ seperti yang direkodkan oleh Sejarah Baru Dinasti T'ang, Khalifah Uthman (memerintah 644-55 M) telah menghantar satu delegasi Arab ke China yang memperkenalkan Islam buat pertama kalinya di sana pada tahun 651 M. Hasil daripada peristiwa tersebut, hubungan antara dinasti Islam dan China semakin berkembang yang menyaksikan peningkatan kedatangan para pedagang dari Asia Barat ke bandar-bandar pelabuhan Guangzhou dan Quanzhou. Di bawah pemerintahan dinasti Ming (1368-1644 M), sebuah penempatan Islam diasaskan bagi para pedagang Arab, Parsi dan Turki. Kebanyakan hasil seni dan seni bina Islam China memperlihatkan sintesis di antara Islam dengan budaya seni tempatan. Masjid-masjid baru jarang sekali dibina, namun mereka menukar fungsi bangunan sedia ada untuk dijadikan masjid. Beberapa elemen seni bina China seperti pagoda, laluan masuk mandiri, dewan sembahyang dan menara untuk melihat anak bulan masih lagi kekal sebagai gaya seni bina masjid tempatan. Seniman China memperkenalkan gaya tulisan yang menggunakan berus di atas skrol kepada dunia Islam yang dikenali sebagai gaya tulisan 'Sini' yang bermaksud China dalam bahasa Arab.

Masjid Jamek Xian merupakan salah sebuah contoh masjid yang diubah suai daripada bangunan yang sedia ada. Sebiji batu bersurat merekodkan tentang sejarah bagaimana satu utusan dari Barat China membawa Islam ke "Chang an" (Xian) dan membina sebuah masjid sewaktu pemerintahan Dinasti T'ang (618-907 M) di bawah pemerintahan Maharaja Tianbao (memerintah 742-756 M). Bangunan Masjid Jamek Xian yang berdiri teguh pada hari ini adalah hasil kerja konservasi sewaktu Dinasti Song (960-1279 M) dan Dinasti Yuan (1279-1368 M). Kerja-kerja menghiasi masjid ini dilakukan sebanyak dua kali di era dinasti Ming (1368-1644 M), pertama sewaktu pemerintahan Maharaja Hongwu pada tahun 1392 M dan yang kedua ialah sewaktu pemerintahan Maharaja Jiajing pada tahun 1546 M.

◀ **Masjid Niujie**
Beijing, China
Abad ke 15 M / abad ke 9 H

651 M / 30 H
Sa'd ibn Abi Waqqas telah memperkenalkan Islam di China.

758 M / 40 H
Satu kawasan penempatan Islam yang luas dibuka di Guangzhou.

▲ *Pembakar setanggi*
China. Abad ke 19 M / abad ke 13 H
Teknik menghias kerja logam yang digunakan di atas pembakar setanggi ini dikenali sebagai cloisonné yang amat sinonim dengan China. Tulisan kaligrafinya bermaksud, "Ingatlah, sesungguhnya tidak ada Tuhan Melainkan Allah, Muhammad itu Pesuruh Allah".

618-907 M / 1-294 H
Rekod Dinasti T'ang mencatatkan tentang kehadiran orang Arab di China dan menggelarkan mereka sebagai 'Ta She'.

960-1279 M / 349-677 H
Maharaja Dinasti Song, Shen-Tsung, pernah mempelawa 5000 orang Islam dari Bukhara untuk menetap di China.

◀ *Skrol kaligrafi*
China. Abad ke 20 M / abad ke 14 H
Sembilan biji buah peach yang diletakkan di atas bekas berkaki empat ini merupakan hasil komposisi tulisan Sini yang bermaksud: "Sesungguhnya tiada Tuhan melainkan Allah, Muhammad itu Pesuruh Allah, Keredhaan daripada Allah dan Kekuasaan Allah".

1271 M / 669 H
Maharaja Kublai Khan telah mengasaskan dinasti Yuan dan menjadi maharaja China.

1279 M / 677 H
Kublai Khan, merupakan seorang maharaja bukan berketurunan Cina pertama yang menakluki seluruh China dan memiliki tujuh buah alat kajian astronomi Parsi.

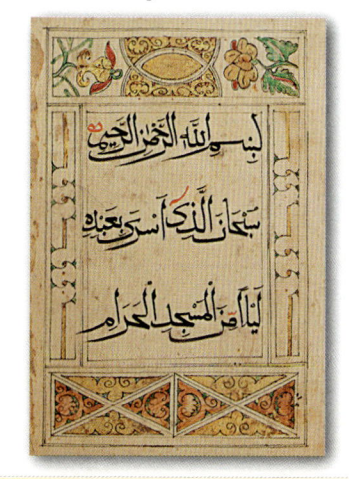

▲ **Kendi**
China. Abad ke 18 M / abad ke 12 H
China telah menghasilkan pelbagai jenis barangan untuk pasaran ekspot bagi memenuhi permintaan masyarakat Islam di seluruh dunia. Salah satu daripadanya ialah kendi biru putih ini yang dibuat untuk pasaran Turki. Barangan tembikar biru putih China telah memasuki wilayah Uthmaniyyah seawal abad ke 14 M dan ia telah mempengaruhi penghasilan tembikar Iznik.

▲ **Al-Qur'an**
China. 1730 M / 1142 H
Naskhah ini merupakan salah satu daripada satu set empat belas juz' al- Qur'an. Setiap juz' al- Qur'an ini dijilidkan secara berasingan. Halaman pembukaannya dihiasi dengan motif berinspirasikan motif bunga-bungaan dan geometri Cina berwarna emas.

1328-98 M / 728-800 H
Maharaja Hongwu telah memerintahkan pembinaan masjid-masjid di China, memperbaiki Masjid Xi'an dan mematuhi ajaran Islam.

1368-1644 M / 769-1054 H
Di bawah pemerintahan Dinasti Ming, masyarakat Islam mendapat banyak keistimewaan dan kebebasan. Nanjing telah menjadi pusat pembelajaran yang penting.

1611-1911 M / 1020-1329 H
Orang Islam diberi peluang menjawat jawatan di dalam kerajaan dan tentera di bawah pemerintahan Dinasti Qing. Ajaran sufi tersebar dan menjadikan tariqat Qairiyya antara yang termasyhur.

41

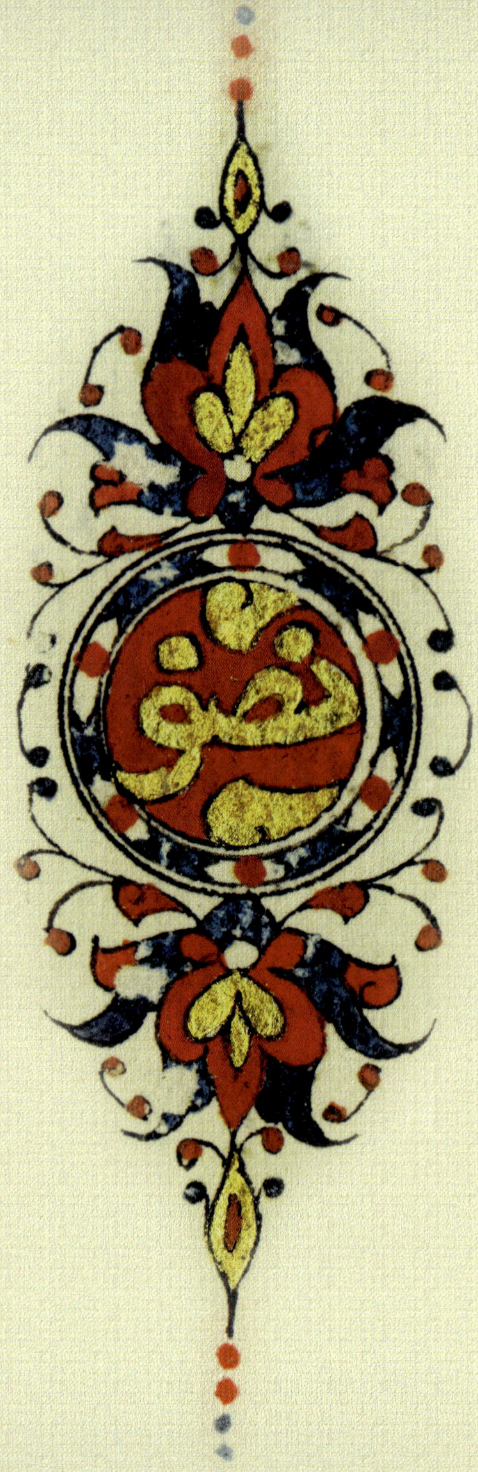

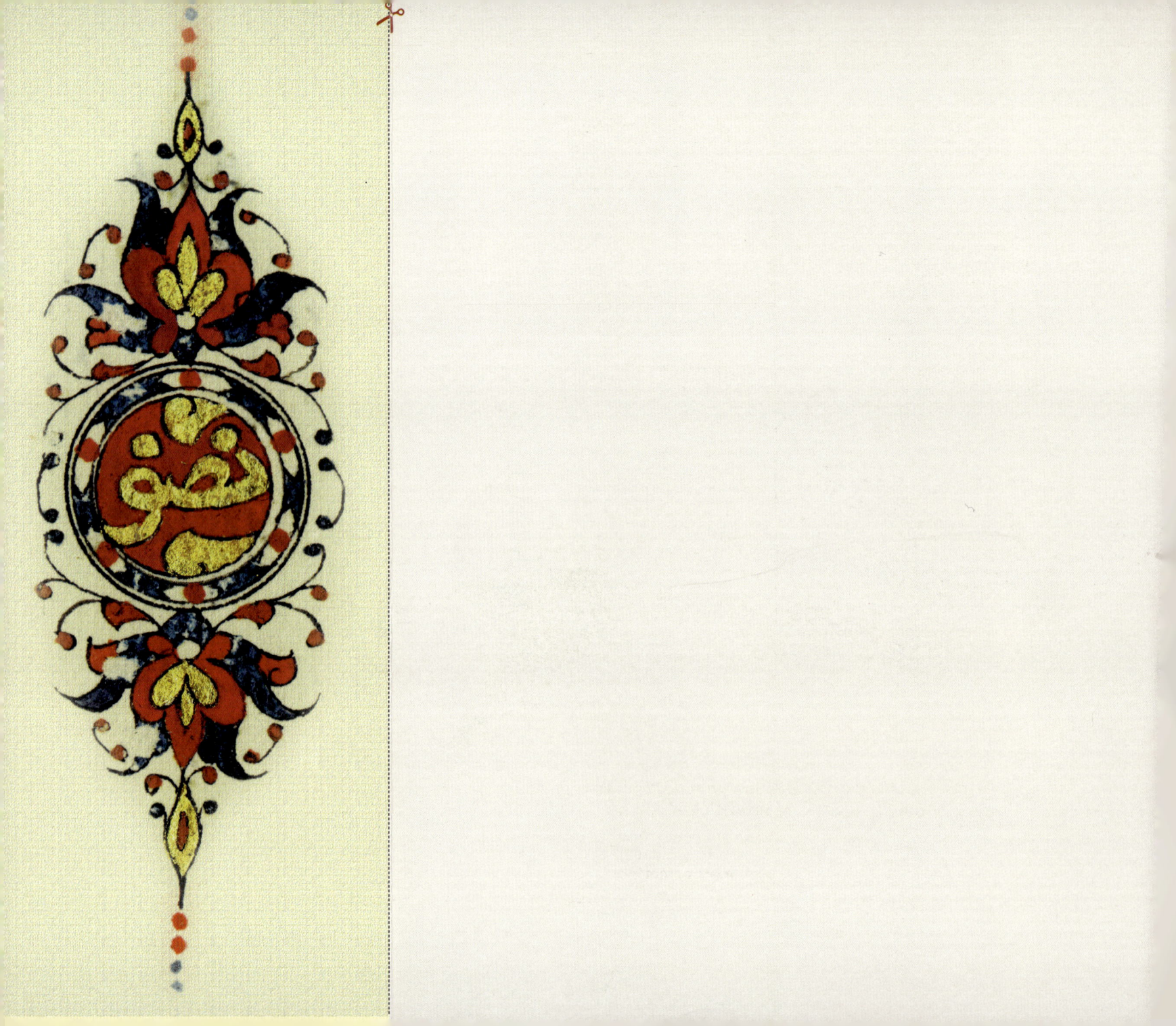

ZAMAN KEGEMILANGAN PERADABAN ISLAM

Para cendekiawan Islam dari seluruh dunia Islam yang terdiri daripada para penulis, arkitek, penyajak, ahli falsafah, pengembara dan ahli astronomi telah banyak memberi sumbangan ilmu dan inovasi dalam pembangunan bidang sains ketika zaman kegemilangan Peradaban Islam. Penubuhan Bayt al-Hikmah di Baghdad sewaktu pemerintahan dinasti Abbasiyyah merupakan lambang zaman kegemilangan Islam. Bayt al-Hikmah ialah sebuah institusi yang menjalankan aktiviti-aktiviti ilmiah seperti penterjemahan, pembelajaran, penyelidikan dan juga pengajian. Khalifah Harun al-Rashid merupakan pengasas dan penaung bagi institusi ini. Selepas pertengahan abad ke 9 M, ia menjadi tumpuan ramai ahli falsafah, pencipta dan ahli sains dari seluruh dunia Islam. Ia menyediakan pelbagai ruang, kemudahan dan sebuah perpustakaan di mana pelbagai jenis manuskrip dari serata tempat dikumpulkan di sini serta para cendekiawan Islam dan bukan Islam berganding bahu dalam menterjemah naskhah-naskhah ilmiah ini.

Antara cendekiawan Islam terkenal yang pernah datang ke Bayt al-Hikmah ialah Al-Khwarizmi, Al-Kindi, Muhammad Musa dan saudaranya (Banu Musa), Ibn al-Haytham, Hunayn, Yahya ibn Abi Mansur, Sin ibn Ali, Abu Uthman al-Jahiz, dan Al-Jazari. Selain Bayt al-Hikmah, pusat-pusat pembelajaran lain di seluruh dunia Islam turut meyumbang dalam perkembangan ilmu dan sains. Berikut ialah senarai beberapa pakar sains Islam yang terkemuka.

Senarai Pusat Pembelajaran dan Sains yang dinaungi oleh para Khalifah, Emir, Sultan, Shah dan Maharaja Dinasti Islam:

1. Pusat pembelajaran di Mekah dan Madinah
2. Dar al-Hikmah, Baghdad, Iraq (Dinasti Abbasiyyah)
3. Universiti Al-Azhar Mesir (Dinasti Fatimiyyah)
4. Khurasan (Dinasti Abbasiyyah)
5. Universiti Nizamiyah, di Baghdad dan Nishapur (Dinasti Abbasiyyah)
6. Nishapur (Empayar Seljuk)
7. Pusat pembelajaran di Ghazni dan Yazd (Dinasti Ghaznavid)
8. Isfahan (Empayar Safavid)
9. Kolej Al-Nasir Muhammad, Kaherah (Dinasti Mamluk)
10. Maghribi (Dinasti Almoravid)

sila lihat peta

Map

Laut Hitam
Laut Kaspia
Laut Mediterranean
Laut Merah
Teluk Parsi
Lautan Atlantik

Al-Andalus
- TRUJILLO
- CORDOBA
- SEVILLE
- RONDA
- MALAGA
- TANGIER

Anatolia
- ISTANBUL

Cities
- SICILY
- AGHURNAS
- TUNIS
- KAIROUAN
- ALEPPO
- SAMARRA
- HAMDAN
- TABARISTAN
- RAY
- NISHAPUR
- KAZIMIYYAH
- BAGHDAD
- BUZH
- DAMSYIK
- MOROCCO
- KAHERAH
- BASRA
- KERMAN
- NAYRIZ
- AFRIKA UTARA
- MADINAH
- TIMBUKTU
- TOUS
- YEMEN
- HAMDAN

Compass: U (Utara), S (Selatan), B (Barat), T (Timur)

Zaman Kegemilangan Peradaban Islam

- SAMARQAND
- KHOJAND
- MERV
- GHAZNA
- GHAZNI
- KHORASAN
- LAHORE
- DELHI
- THATTA
- DEVANAHALLI
- KAIFENG
- NANJING
- PATTANI
- KELANTAN
- ACEH
- MELAKA
- PONTIANAK
- SULAWESI

Arab

Teluk Bengal

Laut China Selatan

LAUTAN HINDI

SENARAI CENDEKIAWAN ISLAM YANG TERKEMUKA SEMASA ZAMAN KEGEMILANGAN PERADABAN ISLAM

11. Al-Mustansiriyya, Baghdad (Dinasti Abbasiyyah)
12. Nuruddin Dar al-Hadith Baghdad (Dinasti Abbasiyyah)
13. Institut Saladin Iskandariah, Mesir (Dinasti Ayyubiyyah)
14. Pusat pembelajaran di bawah Abdul Rahman III, Sepanyol (Khalifah Andalusia)
15. Pusat pembelajaran Yusufiyya, Granada (Dinasti Nasrid)
16. Istanbul (Empayar Uthmaniyyah)
17. Fatehpur Sikri, Agra (Empayar Mughal)
18. Ninjing, China (Dinasti Tang)
19. Xinjiang (Dinasti Qing)
20. Devanahalli, Tipu Sultan (Kesultanan Mysore)

Abu Musa Jabir ibn Hayyan
Kimia
Meninggal dunia pada 815 M

Al-Asma'i (Abd al-Malik ibn Quraib al-Asma`i)
Botani, pembiakan haiwan dan zoologi
740-828 M

Al-Khawarizmi (Abu Abdullah Muhammad ibn Musa)
Matematik (algoritma, algebra, kalkulus), astronomi dan geografi
780-850 M

Al-Jahiz (Abu Uthman Amr ibn Bahr al-Kinani al-Basri)
Zoologi, tatabahasa Arab, retorik dan perkamusan
776-868 M

Al-Kindi (Abu Yusuf Ya'qub ibn Ishaq al-Sabbah)
Falsafah, fizik, optik, perubatan, matematik, kaji logam dan muzik
800-873 M

Thabit ibn Qurrah
Astronomi, mekanikal, geometri dan anatomi
836-901 M

'Abbas Ibn Firnas
Mencipta kapal terbang, planetarium dan kristal tiruan
810-887 M

Al-Tabari (Ali ibn Rabban)
Perubatan, matematik, kaligrafi dan kesusasteraan
838-870 M

Al-Batani (Abu Abd Allah Muhammad ibn Jabir ibn Sinan al-Raqqi al-Harrani al-Sabih)
Astronomi, matematik, trigonometri
858-929 M

Al-Farghani (Abu al-'Abbas Ahmad ibn Muhammad ibn Kathir)
Astronomi dan kejuruteraan sivil
Meninggal dunia pada 860 M

Al-Razi (Muhammad ibn Zakariya)
Perubatan (pakar sejenis penyakit cacar yang dikenali sebagai smallpox), oftalmologi, kimia dan astronomi
864-925 M

Al-Farabi (Abu Nasr Muhammad ibn Muhammad)
Sosiologi, logik, falsafah, sains politik dan muzik
870-950 M

Abu al-Hassan Ali ibn al-Husain ibn Ali al-Mas'udi
Geografi dan sejarah
897-956/7 M

'Abd al-Rahman al-Sufi
Astronomi
903-986 M

Al-Zahrawi (Abu al-Qasim Khalaf ibn al-Abbas)
Pembedahan dan perubatan (Bapa Perubatan Moden)
936-1013 M

Al-Buzjani (Abu al-Wafa Muhammad ibn Muhammad ibn Yahya ibn Ismail ibn al-Abbas)

Matematik, astronomi, geometri dan triginometri
940-997/8 M

Ibn al-Haytham (Abu 'Ali al-Hassan ibn al-Hassan)
Fizik, optik dan matematik
965-1040 M

Al-Mawardi (Abu al-Hassan Ali ibn Muhammad ibn Habib)
Sains politik, sosiologi, perundangan dan etika
972-1058 M

Al-Biruni (Abu al-Rayhan Muhammad ibn Ahmad)
Astronomi dan matematik (menemui ukur lilit bumi)
973-1048 M

Ibn Sina (Abu Ali al-Husain ibn Abd Allah)
Perubatan, falsafah, matematik dan astronomi
981-1037 M

Al-Zarqali (Abu Ishaq Ibrahim ibn Yahya al-Naqqash)
Astronomi (mencipta astrolab)
1028-1087 M

Ghiyath ad-Din Abu al-Fath 'Umar ibn Ibrahim al-Khayyam Nishapuri
Matematik dan puisi
1048-1131 M

Al-Ghazali (Abu Hamid Muhammad ibn Muhammad)
Sosiologi, teologi dan falsafah
1058-1111 M

Ibn Bajjah (Abu-Bakr Muhammad ibn Yahiya ibn al-Sayigh al-Tujibi)
Falsafah, perubatan, matematik, astronomi, puisi dan muzik
1106-1138 M

Ibn Zuhr (Abu Marwan Abd al-Malik)
Pembedahan dan perubatan
1091-1161 M

Al-Idrisi (Abu Abd Allah Muhammad al-Idrisi al-Qurtubi al-Hasani al-Sabti)
Geografi (pelukis peta dunia dan pencipta glob yang pertama)
1099-1166 M

Muhammad ibn Abd al-Malik ibn Muhammad ibn Tufail al-Qaisi al-Andalusi
Falsafah, perubatan dan puisi
1110-1185 M

Ibn Rushd (Abu al-Walid Muhammad ibn Ahmad ibn Muhammad)
Falsafah, perundangan, perubatan dan teologi
1126-1198 M

Al-Bitruji (Nur al-Din ibn Ishaq)
Astronomi
Meninggal dunia pada 1204 M

Ibn Jubayr (Abu al-Husayn Muhammad ibn Ahmad ibn Jubayr al-Kinani)
Geografi dan puisi
1145-1217 M

Ibn al-Baitar (Diya Al-Din Abu Muhammad Abdullah Ibn Ahmad)
Farmasi dan botani
Meninggal dunia pada 1248 M

Nasir al-Din Tusi (Muhammad ibn Muhammad ibn Hassan Tusi)
Astronomi, Geometri Non-Euclidean
1201-1274 M

Jalal al-Din Muhammad Rumi
Puisi Parsi, sufi dan teologi
1207-1273 M

Ibn Battuta (Abu Abd Allah Muhammad ibn Abd Allah al-Lawatit Tangy)
Pengembara dunia, telah menjelajah 75,000 batu dari Maghribi ke China dan kembali semula ke Maghribi
1304-1369 M

Ibn Khaldun (Rahman bin Muhammad bin Khaldun Al-Hadrami)
Sosiologi, falsafah sejarah, sains dan politik
1332-1406 M

Ulugh Beg (Mirza Muhammad Taraghay bin Shah Rukh)
Astronomi
1393-1449 M

Mimar Sinan (Koca Mi'mar Sinan Aga)
Arkitek
Meninggal dunia pada 1566 M

PANDUAN MUZIUM

GARIS MASA PERADABAN ISLAM

Koleksi Muzium Kesenian Islam Malaysia

MUKA SURAT	ARTIFAK	NO PENDAFTARAN	LOKASI DI MKIM
14 & 15	Matawang Model Kubah al-Sakhrah Model Masjid Agung Umayyah Matawang Helaian al-Qur'an	1998.1.4768 1998.2.348 2009.4.1 1998.1.4682 2011.4.1	Stor Galeri Seni Bina Galeri Seni Bina Stor Stor
16 & 17	Matawang Mangkuk Helaian al-Qur'an Matawang Helaian al-Qur'an	2005.16.2 1998.2.261 2001.1.83 1998.1.4886 2006.6.1	Stor Galeri Seramik Galeri Al-Qur'an & Manuskrip Stor Galeri Al-Qur'an & Manuskrip
18 & 19	Kaki Balang Kain Perca Anting-anting Penapis Air	2006.4.4 2012.11.60 2000.2.92 2001.1.202	Galeri Seni Bina Galeri Tekstil Galeri Barang Kemas Galeri Seramik
20 & 21	Mangkuk Serpihan Seni Bina Cermin Mangkuk	2012.2.11 2006.16.1 2011.7.68 2012.2.10	Galeri Seramik Galeri Seni Bina Galeri Kerja Logam Galeri Seramik
22 & 23	Pasu Berkilat *Hispano-Moresque* Panel Kayu Kaki Almari Helaian al-Qur'an	2004.1.11 2006.10.6 2011.9.31 2001.1.158	Galeri Gaya Hidup - Sepanyol Galeri Seni Bina Galeri Gaya Hidup - Sepanyol Stor
24 & 25	Dulang Bikar Al-Qur'an Kaki Lilin	2003.10.26 2005.12.1 2008.7.1 1998.2.301	Galeri Kerja Logam Galeri Seramik Galeri Al-Qur'an & Manuskrip Galeri Kerja Logam

MUKA SURAT	ARTIFAK	NO PENDAFTARAN	LOKASI DI MKIM
26 & 27	Al-Qur'an Mangkuk Jubin	2011.1.21 2004.11.5 2003.10.17	Galeri Al-Qur'an & Manuskrip Galeri Seramik Galeri Seramik
28 & 29	Pistol Kekunci Flint Jubin Pinggan Bekas Dakwat Lukisan Miniatur dari Siyar-I-Nabi	2008.1.38 2010.4.25 2005.9.12 2008.1.2 2011.9.5	Galeri Senjata & Perisai Galeri Seramik Galeri Seramik Galeri Kerja Logam Galeri Al-Qur'an & Manuskrip
30 & 31	Jag Jubin Jubin	2003.10.22 2004.1.9 2009.9.26	Galeri Kerja Logam Galeri Seramik Galeri Seramik
32 & 33	Jubin Jubin Alam Dekri Diraja yang mempunyai cap mohor Shah 'Abbas I Kitab Futuh al-Haramayn	2007.4.1 2011.1.6 2004.5.47 2004.5.44 2011.7.43	Galeri Seramik Galeri Seramik Galeri Senjata & Perisai Galeri Al-Qur'an & Manuskrip Galeri Al-Qur'an & Manuskrip
34 & 35	Pisau Belati Lukisan Miniatur (Shah Jahan memeluk Aurangzeb) Kelalang Serbuk Perenjis Air Mawar Kelalang	2011.7.8 2005.9.44 2008.1.17 2008.1.16 2009.6.14	Gallery India Gallery India Gallery India Gallery India Gallery India
36 & 37	Kotak Pen Bekas Huqqah Kotak Apotekari Loket Pisau Belati Mangkuk dengan Penutup	2003.6.53 2008.1.12 2004.12.7 2000.2.99 2000.2.36 2004.1.3	Galeri Gaya Hidup - Parsi Galeri Kerja Logam Galeri Kerja Kayu Galeri Barang Kemas Galeri Senjata & Perisai Galeri Kerja Logam

MUKA SURAT	ARTIFAK	NO PENDAFTARAN	LOKASI DI MKIM
38 & 39	Kupang emas Kain Sarung Songket Al-Qur'an Tepak Sirih	1998.1.5600 2011.8.12 2012.13.6 1998.1.3802	Galeri Dunia Melayu Galeri Dunia Melayu Galeri Dunia Melayu Stor
40 & 41	Pembakar Setanggi Skrol Kaligrafi Al-Qur'an Kendi	2004.11.12 1998.3.36 2000.1.18 2012.10.54	Galeri China Stor Galeri China Galeri China

* Sila ambil perhatian. Kedudukan artifak-artifak ini mungkin berubah sama ada disebabkan oleh pameran sementara ataupun pameran bergerak. Kemungkinan juga atas tujuan simpanan di stor.

GLOSARI

GARIS MASA PERADABAN ISLAM

Koleksi Muzium Kesenian Islam Malaysia

Abru:
Kertas corak marmar

Adras:
Kain yang ditenun dengan benang sutera dan kapas

Arabes:
Barang perhiasan yang dipakai sebagai pelindung daripada kuasa jahat

▲Motif sulur bayung daun palma, bunga ros dan daun saz yang membentuk corak arabes di atas jubin Iznik. 2012.11.44

Astrolab:
Sejenis peralatan yang digunakan oleh ahli astronomi zaman awal untuk mengukur kedudukan bintang dan planet lain. Ia juga digunakan sebagai alat panduan pelayaran.

Azimat:
Barang perhiasan yang dipakai sebagai pelindung daripada kuasa jahat

Barangan serdak campuran:
Tembikar yang diperbuat daripada campuran bahan tanah liat.

Batu jed:
Sejenis batu berharga, biasanya berwarna hijau yang dijadikan barang hiasan dan barang kemas. Ia terdiri daripada pelbagai jenis seperti jadeite atau nephrite dan mempunyai pelbagai warna dari putih hingga ke hijau dan ungu.

Bazuband:
Gelang kana

Bidri:
Salah satu teknik hiasan kerja logam yang seringkali digunakan pada logam aloi zink. Ia menggabungkan latar gelap (niello) dan tatahan perak yang kebiasaannya menggunakan motif bunga-bungaan

Broked:
Fabrik tenunan mewah yang sering dihiasi dengan corak timbul benang emas atau perak.

Cartouche:
Bingkai perhiasan dalam pelbagai bentuk seperti skrol dan cengkerang yang mengandungi tulisan, gambar ataupun lambang kebangsawanan.

▼Slogan dan jata Sultan Sayf al-Din al-Muzaffar Hajji I ibn al-Nasir Muhammad (memerintah 1346-1347 M / 747-748 H) yang terdapat dalam cartouche pada besen tembaga Mamluk. 2010.10.13

Cembul rias:
Hiasan yang terdapat di atas sesuatu bekas atau perabut.

Champlevé:
Sejenis teknik dalam proses membuat hiasan enamel di mana alur diukir di atas barangan logam sebelum enamel berwarna dituangkan ke dalamnya.

Cloisonné:
Sejenis rekaan hiasan yang menggunakan enamel berwarna dan dilingkari dawai halus di tepinya.

Cuerda seca:
Sejenis glis yang seringkali digunakan di atas jubin semasa pemerintahan Timurid dan Safavid. Glis berwarna legap diasingkan dengan menggunakan mangan oksida untuk menghasilkan garisan hitam antara warna.

Enamel:
Serbuk kaca berwarna yang lutsinar atau legap yang digunakan sebagai hiasan di atas permukaan logam.

Filigri:
Sejenis seni hiasan halus yang dihasilkan dengan memintal dawai emas, perak dan sebagainya.

Firman:
Dekri yang ditandatangani oleh Sultan.

Folio:
Separuh daripada sekeping (bifolio) kertas atau kulit yang dilipat dua untuk menulis.

Ghubar:
Tulisan yang sangat kecil.

Hadis:
Sabda, perbuatan atau sifat Nabi Muhammad ﷺ yang diriwayatkan oleh para sahabatnya. Ia merupakan sumber kedua penting dalam perundangan Islam, selepas al-Qur'an.

Halaman depan:
Hiasan pada halaman depan sesebuah manuskrip ataupun ilustrasi yang terletak bersebelahan dengan muka surat tajuk.

Halaman terakhir:
Hiasan pada halaman terakhir sesebuah manuskrip.

▲Halaman terakhir al-Qur'an Uthmaniyyah abad ke 19 M. 2000.1.2

Hiasan berkilat:
Permukaan metalik berkilau di atas tembikar atau porselin.

Hijrah:
Perpindahan Nabi Muhammad ﷺ dari Mekah ke Madinah pada tahun 622 M.

Huqqah:
Paip untuk menghisap tembakau yang mempunyai tiub panjang untuk menyedut asap yang dilalukan dalam sebekas air.

Iluminasi:
Teknik menghias yang menggunakan warna, emas dan perak pada helaian manuskrip.

Iluminasi al-Qur'an. 2001.1.159 ▶

Ilustrasi:
Lakaran bergambar yang digunakan untuk menerangkan atau menghias sesebuah teks.

Intaglio:
Ukiran benam yang terdapat di atas cap mohor, batu permata dan sebagainya, berlawanan dengan ukiran timbul.

Iznik:
Sejenis teknik penghasilan seramik sewaktu pemerintahan dinasti Uthmaniyyah. Ia merupakan nama sebuah bandar di Turki yang menjadi pusat pengeluaran seramik tersebut.

▲Cap mohor puteri kepada Muhammad Shah, Maharaja Dinasti Mughal. 2012.11.88

Juz':
Bahagian al-Qur'an. Senaskhah al-Qur'an yang lengkap mempunyai 30 juz'.

Kaabah:
Struktur berbentuk kiub yang terletak di tengah-tengah Masjid al-Haram di kota Mekah yang menjadi kiblat solat dan tempat tawaf umat Islam sewaktu menunaikan ibadah haji dan umrah.

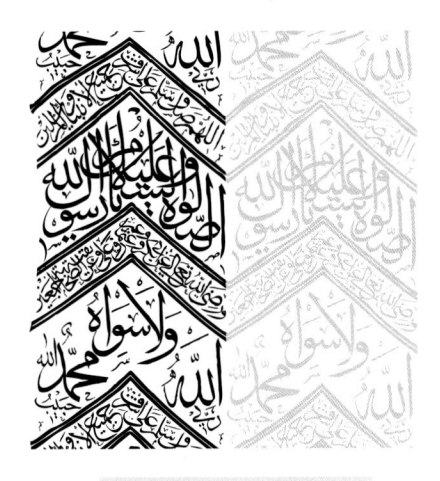

▲Lakaran hiasan kain kiswah. 2011.7.12

Kain Limar:
Sejenis kain ikat pakan yang dihasilkan di Terengganu dan Kelantan, Semenanjung Tanah Melayu.

Kendi:
Jag atau bekas air yang mempunyai mulut yang besar.

Kertas kulit:
Kulit beberapa jenis haiwan yang digunakan sebagai helaian untuk menulis.

Khalifah:
Ketua atau pemimpin masyarakat Islam

Koftgari:
Sejenis hiasan dari India yang menggunakan teknik tatahan emas di atas keluli.

Kufi:
Gaya tulisan bersudut yang terkenal di zaman awal Islam.

▲Ayat-ayat al-Qur'an ditulis dalam gaya kufi di atas velum biru. 2011.9.32

Kundan:
Teknik hiasan emas yang berasal dari India

Lakuer:
Lapisan berkilat keras yang terhasil dengan campuran selulosa tiruan atau damar dalam pelarut yang mudah meruap

Lima rukun Islam:
Syahadah (pengakuan), solat (sembahyang 5 waktu sehari), puasa, zakat dan haji.

Manuskrip:
Buku atau dokumen asal bertulis tulisan tangan.

Marquetry:
Ialah sejenis seni susunan lapisan tipis kayu, tembaga atau gading dan sebagainya yang untuk membentuk sesuatu objek atau corak yang sering digunakan untuk perabot.

▲Hiasan mikro-mozek yang terhasil dari susunan kayu dan gading. 2008.7.5

Mihrab:
Ruang melengkung di hadapan dewan sembahyang sesebuah masjid yang menunjukkan arah kiblat. Umat Islam bersembahyang menghadap ke arah kiblat.

▲Rekaan Mihrab Masjid Jamek 1998.2.351

Minbar:
Perabot penting yang terdapat di dalam masjid. Ia digunakan oleh imam untuk membaca khutbah.

Muqarnas:
Hiasan berbentuk sarang lebah yang terdapat pada bumbung melengkung, kubah dan pintu, khususnya di bahagian atas mihrab.

Nielo:
Sejenis bahan berunsur logam berwarna hitam yang dihasilkan daripada campuran serbuk logam oksida dan sulfur yang diisi ke dalam alur ukiran barangan logam khususnya perak.

Pahat titik:
Sejenis hiasan permukaan logam sama ada menggunakan teknik penimbulan atau turisan.

Papier-mâché:
Sejenis campuran bahan seperti kertas dan pelekat yang digunakan untuk membuat barangan kraf dan diolah bentuknya ketika masih basah.

Ramadan:
Bulan kesembilan dalam kalendar Islam di mana umat Islam mesti berpuasa menahan diri daripada makan dan minum serta segala perbuatan yang boleh membatalkan puasa dari terbit matahari sehingga terbenam matahari.

Rehal:
Tempat meletakkan al-Qur'an ketika membacanya.

Repoussé:
Rekaan hiasan bagi kepingan logam yang menggunakan teknik tekan timbul dari bahagian dalam ke luar.

Scimitar:
Sejenis pedang Arab yang melengkung dan melebar dihujungnya.

Sgraffito:
Sejenis teknik hiasan seramik dengan menggores satu lapisan warna atau pigmen untuk memperlihatkan lapisan yang ada dibawahnya.

Souzani:
Seni sulaman jahitan tali air Timur Tengah

Sufi:
Orang yang ahli dalam ilmu tasawuf

Sulaman:
Jahitan hiasan seperti gambar atau corak yang dijahit di atas kain atau kanvas.

Surah:
Bab dalam al-Qur'an yang mengisahkan sesuatu. Dalam al-Qur'an terdapat 114 surah.

Tangkal:
Sebarang objek yang dianggap mempunyai kuasa ajaib

Tembikar:
Barangan yang dibuat daripada tanah liat yang dibakar.

Thuluth:
Sejenis tulisan kursif Arab

Titik Huruf:
Titik (satu, dua atau tiga) yang digunakan bagi huruf yang mempunyai bentuk yang sama.

Tombol:
Tombol yang terletak di bahagian hulu pedang atau senjata yang sejenis dengannya

Tugu:
Tanda yang dibina untuk memperingati sesuatu seperti makam.

Velum:
Bahan yang berasal dari kulit anak haiwan. Velum mempunyai tekstur yang lebih halus berbanding kertas kulit. Kedua-dua istilah ini sering digunakan silih berganti di zaman pertengahan dan ada kalanya tersilap guna.

Veneto-Seracenic:
Gaya hiasan yang muncul selepas pertembungan seni Barat dan Islam terutamanya sewaktu era dinasti Mamluk.

Wuduk:
Perbuatan menyucikan diri dengan air sebelum sembahyang bagi umat Islam

Zamzam:
Sebuah telaga yang terletak di dalam premis Masjid al-Haram di Mekah. Jemaah haji dan umrah yang berkunjung ke Mekah meminum air zamzam yang mempunyai pelbagai khasiat dan boleh menjadi penawar.

BIBLIOGRAFI

GARIS MASA
PERADABAN ISLAM

Koleksi Muzium Kesenian Islam Malaysia

Al-Attas, Syed Muhammad Naquib. 2011. Historical *Fact and Fiction*. Malaysia: Penerbit UTM Press, Universiti Teknologi Malaysia.

Al-Attas, Syed Muhammad Naquib. 1984. *The Correct Date of the Terengganu Inscription: Friday, 4th Rejab, 702 A.H./Friday, 22nd. February, 1303 2nd. Edition*. Kuala Lumpur: Muzium Negara Malaysia.

Al-Makkari, Ahmed Ibn Mohammed. Translated by Gayangos, Pascual de. 2002. *The History of the Mohammedan Dynasties in Spain*. London: Routledge Curzon.

Armstrong, Karen. 2001. Islam: *A Short History*. London: Phoenix Press.

Azzam, Abd al-Rahman. 1995. *The Travels of Ibn Battuta*. Cambridge: Hood Hood Books.

Bloom, Jonathan. & Blair, Sheila. 1997. *Islamic Arts*. London: Phaidon Press.

De Witt, Dennis. 2011. *History of the Dutch in Malaysia*. Selangor: Nutmeg Publishing.

Dunn, Ross. E. 2005. *The Adventures of Ibn Battuta: a Muslim Traveler of the 14th Century*. Berkeley: University of California Press.

Ettinghausen, Richard. & Grabar, Oleg. 1987. *The Art and Architecture of Islam 650-1250*. Middlesex: Penguin Books.

Geddes, C. L. 1965. *Studies in Islamic Art and Architecture in Honour of Professor K. A. C. Creswell*. Cairo: Published for the Centre for Arabic Studies by the American University of Cairo.

Grube, Ernst. Ed. Michell, George. 1978. *Architecture of the Islamic World: Its History and Social Meaning*. London: Thames & Hudson.

Gulen, Salih. Translated by Sahin, Emrah. 2010. *The Ottoman Sultans: Mighty Guests of the Throne*. New York: Blue Dome Press.

Halimi, Ahmad Jelani. 2006. *Perdagangan dan perkapalan Melayu di Selat Melaka: abad ke-15 hingga ke-18*. Kuala Lumpur: Dewan Bahasa dan Pustaka.

Hashim, Muhammad Yusoff. 1992. *The Malay Sultanate of Malacca: A Study of Various Aspects of Malacca in the 15th and 16th centuries in Malaysian History*. Kuala Lumpur: Dewan Bahasa dan Pustaka.

Ed. Hattstein, Markus. & Delius, Peter. 2000. *Islam Art and Architecture.* Cologne: Konemann.

Haywood, John. 2011. *The New Atlas of World History: Global Events at a Glance.* London: Thames & Hudson.

Hodgson, Marsall G. S. 1977. *The Venture of Islam: Conscience and History in a World Civilization.* Chicago: University of Chicago.

Malise, Ruthven. & Azim, Nanji. 2004. *Historical Atlas of the Islamic World.* Oxford: Oxford University Press.

Nagy, Luqman. Ed. by Afsar-Siddiqui, Dr. Abia. 2008. *The Book of Islamic b Dynasties: A Celebration of Islamic History & Culture.* London: Ta-Ha Publishers Ltd.

Nasir, Abdul Halim. 2004. *Mosque Architecture in the Malay World; translated by Omar Salahuddin Abdullah.* Selangor: Penerbit Universiti Kebangsaan Malaysia.

Nasr, Seyyed Hossein. 1987. *Islamic Art and Spirituality.* Suffolk: Golgonooza Press.

Nasser, Khalili. 2005. *The Timeline History of Islamic Art and Architecture.* London: Worth Press Ltd.

O'Kane, Bernard. 2007. *The World of Islamic Art.* Cairo: The American University in Cairo Press.

Pigeaud, Theodore G. Th. 1976. *Islamic states in Java 1500-1700: Eight Dutch Books and Articles by H.J. de Graff.* The Hague: Martinus Nijhoff.

Pillsbury, Barbara L.K. 2009. "1981 Paper: *Muslim History in China: A 1300-Year Chronology" source Islam in China Key Papers Volume I Ed. Dillon, Michaels.* Kent: Global Oriental.

Pintado, M.J. 1993. *Portuguese Documents on Malacca.* Kuala Lumpur: National Archives of Malaysia.

Pires, Tome. 2005. *The Suma Oriental of Tome Pires : An Account of the East, from the Red Sea to China, written in Malacca and India in 1512-1515 & The Book of Francisco Rodrigues: Pilot-Major of the Armada that discovered Banda and the Moluccas.* New Delhi: Asian Educational Services.

Rabbat, Nasser. *Mamluk History Through: Monuments, Culture, and Politics in Medieval Egypt and Syria*. Cairo: The American University in Cairo Press, 2010.

Robinson, Francis. 2007. *The Mughal Emperors and the Islamic Dynasties of India, Iran and Central Asia, 1206-1925*. London: Thames & Hudson.

Rosen-Ayalon, Myriam. 1984. *Islamic Art and Archaeology*. Berlin: Gebr. Mann Verlag.

Steenbrink, Karel A. 1993. *Dutch Colonialism and Indonesian Islam: Contacts and Conflicts 1596-1950*. New York: Editions Rodopi BV.

Tan, Ta Seng. 2005. *Cheng Ho and Malacca*. Singapore: International Zheng He Society.